COMEN

Val

"Acton Academy está a la vanguardia del cambio en educación en nuestro país. Después de leer la historia de Laura, su primera pregunta probablemente será '¿Por qué no puede mi escuela ser así?' y '¿Cómo envío a mis hijos a Acton?' Esta es una historia importante sobre aprendizaje significativo."

—SETH GODIN, AUTOR DE STOP STEALING DREAMS

"Acton Academy está en la delantera de lo que significa dar a los estudiantes independencia y decisión sobre su propio aprendizaje. Lo que Laura ha creado es impresionante"

—SAL KHAN, FUNDADOR DE KHAN ACADEMY

"Elegir el camino educativo para sus hijos es la inversión más importante que harán como padres. La visión y el valor de Laura, y sus reflexiones profundas sobre el aprendizaje cambiaron nuestras vidas y nos inspiran diariamente—su historia también los inspirará."

—DANI Y RUSS FOLTZ-SMITH, FUNDADORES Y PADRES, ACTON ACADEMY VENICE BEACH

"Acton Academy es uno de los desarrollos educativos más grandes del mundo. La historia detrás de las ideas, la escuela y el movimiento debe leerse."

—TOM VANDER ARK, CEO DE GETTING SMART, ANTES DIRECTOR EJECUTIVO DE EDUCACIÓN PARA LA FUNDACIÓN BILL Y MELINDA GATES

"Un libro impresionante que captura el poderoso camino de los fundadores de Acton Academy, sus estudiantes, comunidad de padres, y—espero—el futuro de la educación alrededor del mundo. Cualquier escuela, ya sea tradicional o innovadora, ganará visión de este mágico lugar."

—TED DINTERSMITH, AUTOR EN EDUCACIÓN, PRODUCTOR DE FILMES, Y FILÁNTROPO

"Acton Academy ha transformado a nuestra familia, inspirando a cada uno de nosotros a encontrar nuestro llamado y descubrir nuestro Viaje de Héroe. El libro de Laura es una lectura obligada para los padres que desean que su hijo esté a la altura de su potencial."

—KIMBERLY WATSON-HEMPHILL, MADRE DE ACTON ACADEMY, AUTORA DE FAST INNOVATION Y CEO DE FIREFLY CONSULTING

"Incluso los escépticos son convertidos por el ritmo de la energía productiva en Acton Academy; más parecida a una compañía tecnológica que a una escuela. El libro de Laura tiene el mismo ritmo contagioso, a sólo un guionista de convertirse en una película, más parecido a *Rocky* o *Hoosiers: Más que ídolos*, que *Esperando a Superman*."

—CLARK ALDRICH, LÍDER DE IDEAS DE GLOBAL EDUCATION; AUTOR DE UNSCHOOLING RULES

"¿Por qué leer este libro y comenzar una Acton Academy? Porque, como yo, querrán construir un lugar mágico tan lleno de rigor y alegría que sus hijos protestarán cuando lleguen las vacaciones. Consideren este un llamado a la aventura que podría cambiar su vida, porque ciertamente ha cambiado la mía."

—MIKE OLSON, PADRE Y FUNDADOR DE TALENT UNBOUND, UNA ESCUELA AFILIADA A ACTON ACADEMY, HOUSTON, TEXAS

"Cuando visité Acton Academy, pedí a los niños que cerraran los ojos y me dijeran lo que veían. Un niño dijo, 'un autobús lleno de extraterrestres.' Todos rieron. La historia de Laura los hará sentir felices, críticos, tristes, energizados, y sobre todo, optimistas sobre lo que pueden lograr los niños. Así que tomen este libro y únanse a nosotros en este autobús mágico."

—SUGATA MITRA, PROFESOR DE TECNOLOGÍA EDUCATIVA, NEWCASTLE UNIVERSITY, REINO UNIDO

"Si piensan que la educación en Estados Unidos está bien, ignoren este libro. Si creen que falta algo en las escuelas estadounidenses, compren este libro y léanlo. Podrían salvar la vida de alguien que aman."

—DANIEL S. PETERS, EX-DIRECTOR, THE PHILANTHROPY ROUNDTABLE; PRESIDENTE, FUNDACIÓN LOVETT Y RUTH PETERS

"¿Aprender a tomar decisiones y ser responsables es importante para su familia? De ser así, ¡Acton Academy es el ambiente de aprendizaje que han estado soñando! El libro de Laura les dará el valor para dejar la educación tradicional y darles un regalo invaluable a sus hijos. ¿Vienen con nosotros?"

—JUAN BONIFASI, COFUNDADOR Y PADRE, ACTON ACADEMY CIUDAD GUATEMALA

VALOR *para* CRECER

Cómo Acton Academy
Pone el Aprendizaje de Cabeza

Laura A. Sandefer

Cover design by Sheila Parr
Cover image © Shutterstock / Africa Studio

Cataloging-in-Publication data is available.

Print ISBN: 978-0-9995205-3-6

eBook ISBN: 978-0-9995205-2-9

Printed in the United States of America on acid-free paper

First Edition

Para las Águilas fundadoras,
quienes tuvieron el valor para crecer

Saskia
Sam
Chris
Bodhi
Cash
Charlie
Ellie

Y para Taite, quien estuvo con nosotros en espíritu
a cada paso del camino

Sigan al niño.

—DR. MARIA MONTESSORI

ÍNDICE

PREFACIO

Si no por ninguna otra cosa, Acton Academy merece respeto por el singular papel que tuvo para hacer más pronunciada la famosa curva S.

En su libro "Disrupting Class", el profesor Clayton Christensen de la Escuela de Negocios de Harvard y sus colegas Michael Horn y Curtis Johnson argumentan que el aprendizaje en línea es una innovación disruptiva que cambiará la manera en que el mundo aprende. Para ilustrar esta predicción, dibujaron un diagrama de curva en S, como el que sigue. Las innovaciones disruptivas siguen un patrón de curva en S, dicen. Las nuevas tecnologías entran al mercado lentamente al principio, conforme surgen los prototipos burdos. Pero luego, la sustitución de viejas tecnologías por las nuevas crece dramáticamente hasta que, finalmente, se acerca al cien por ciento del mercado.

Las curvas en S a veces son graduales, y a veces son pronunciadas. Cuando se publicó "Disrupting Class" en el 2008, los autores no estaban seguros de la pendiente que tendría la curva. Pero sabían una cosa: El aprendizaje en línea estaba siguiendo el patrón de una innovación disruptiva. Un día reemplazaría los métodos de enseñanza tradicional en el aula.

La predicción fue radical. Hasta entonces, el aprendizaje en línea era una alternativa que estaba al margen en la educación básica y media superior , adoptada por las familias que practican el aprendizaje en casa y están cómodas con ser "aprendices a distancia", lejos del campus.

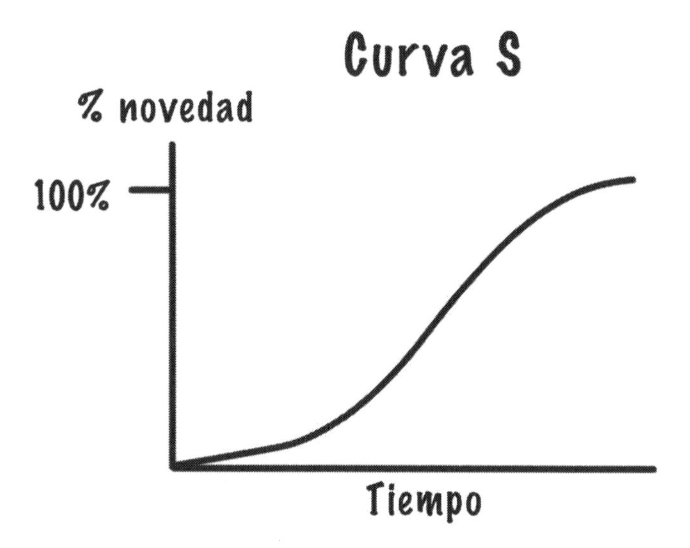

Cuando me uní al Instituto Clayton Christensen hace unos años, la curva en S comenzaba a dirigirse hacia arriba, gracias a la llegada del aprendizaje semipresencial—la combinación de aprendizaje en línea y presencial en el aula. Para el 2011, había en Estados Unidos cuarenta distritos escolares, redes de escuelas "Charter", y escuelas independientes y virtuales que utilizaban métodos semipresenciales en vez de métodos tradicionales de enseñanza. Una de esas cuarenta era una inusual micro-escuela en Austin, Texas, llamada Acton Academy.

Al principio, mi interés en Acton Academy era puramente académico. Junto con las otras treinta y nueve organizaciones pioneras, Acton Academy estaba pronunciando la curva en S frente a nuestros ojos. El aprendizaje a distancia había llegado a una meseta. Para que el aprendizaje en línea creciera, era necesario que tomara algunos de los roles que llevan a cabo las escuelas—roles tales como el cuidado, mentoría cara a cara, experiencias sociales, y deportes. Al combinar la innovación disruptiva del aprendizaje en línea con elementos particulares del sistema tradicional, estas cuarenta organizaciones seguían al pie de la letra el manual de innovación disruptiva. Unas cuantas, incluyendo Acton Academy, tenían modelos de negocio que podían escalarse fácilmente. Eso era importante. Significaba que la trayectoria para la disrupción iba en camino. Lo que alguna vez fue una predicción radical ahora tenía cuarenta ejemplos vivos que ponían de manifiesto que la anunciada transformación de las escuelas tradicionales había comenzado—e iba a crecer.

Es más, Acton Academy se distinguía de las demás. Tenía un modelo de aprendizaje semipresencial "Flex", en donde el aprendizaje en línea era la base de la mayor parte del contenido, y el principal papel del instructor cara a cara es guiar, animar, y activar el aprendizaje, no impartir conocimiento. Otras escuelas entre esas cuarenta tenían modelos Flex, pero Acton Academy era la única que había encontrado como hacer un modelo Flex con niños de primaria. Encontrar a Acton Academy fue como encontrar a Pie Grande.

LIDERANDO LA DISRUPCIÓN

Varios años después, Acton Academy sigue estando una década más avanzada que los demás. Aunque hoy miles de escuelas tienen modelos semipresenciales disruptivos, la escuela de Jeff y Laura Sandefer—que ahora es una red global—se destaca por su estrategia exitosa y contra-intuitiva para enseñar. Según Christensen, uno de los beneficios de la innovación disruptiva es que distribuye el acceso a las personas en los márgenes. Imaginen una serie de círculos concéntricos, como en el diagrama que sigue.

Cada círculo representa una población que puede acceder a un producto o servicio. Solo las personas con más recursos y conocimiento pueden acceder al centro. Los círculos más grandes representan a las personas con menos recursos y conocimiento; la mayoría de las personas viven aquí. Las innovaciones disruptivas empujan el acceso a los márgenes exteriores. Piensen en TurboTax o Amazon Prime—dos disrupciones que llevaron el acceso a las personas comunes.

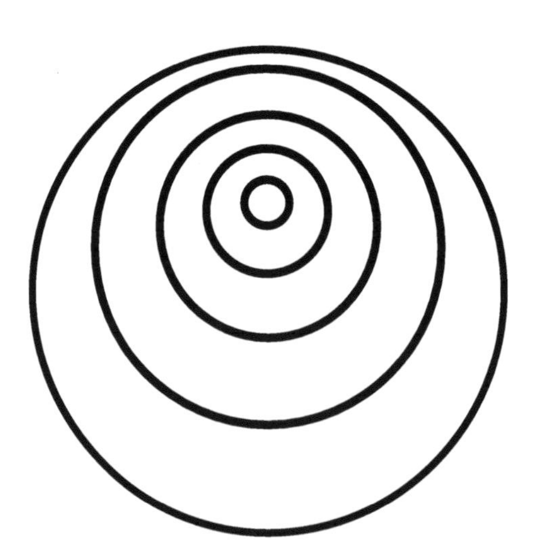

Desde su diminuta escuela original, los Sandefers intuyeron que la innovación disruptiva del aprendizaje en línea tendría un poder similar para llevar el acceso a las personas con la menor cantidad de recursos y conocimiento—los niños. Esta visión les permitió ser pioneros en el diseño de una escuela de vanguardia.

Más importantemente, Acton Academy empodera a los niños con los hábitos, mentores, lecciones en línea y sistema de seguimiento que necesitan para gestionar su propio aprendizaje. Delegar el control ayuda a los niños a desarrollar la habilidad de independencia y decisión sobre su aprendizaje. Observen a Acton Academy durante solo un minuto y lo primero que notarán es la impresionante sensación de compromiso y auto-eficiencia de los estudiantes. Esto se debe a esa habilidad.

Empoderar a los estudiantes libera a los adultos para que puedan fungir como guías y mentores. Convierte la relación entre mentores y estudiantes de 1:muchos a 1:1. Los niños no se pierden en Acton Academy. La conexión humana fluye en el sistema conforme la comunidad entera trabaja en conjunto para decidir las reglas, firmar las insignias de los demás, hacer crítica de pares a los proyectos, y construir cosas emocionantes.

DE LO ACADÉMICO A LO PERSONAL

Unos meses después de terminar el reporte de aprendizaje semi-presencial, agendé una visita a Acton Academy e invité a mi esposo, Allan. Entonces supe que era personal.

Una cosa es entender Acton Academy en teoría. Otra muy diferente es entrar en ese edificio y experimentar con el corazón lo que un buen diseño, principios claros y una ejecución amorosa pueden hacer por el bienestar y alegría de los niños. Fue entonces cuando la vida de mi familia cambió para siempre.

Leer cómo Laura Sandefer cuenta como es que surgió Acton Academy es un gozo. Sus campus están llenos de gracia, sabiduría y todo el corazón que Laura misma representa. Estén avisados, sin embargo, que si son como cientos de padres y yo, una vez que descubran lo mucho que los niños pueden hacer en un ambiente que dignifica, magnifica e inspira sus mentes a aprender, no podrán volver a un aula tradicional.

—Heather Staker

INTRODUCCIÓN

"No puedo dibujar," le dije a mi esposo, Jeff.

"Sí, sí puedes," me dijo. "Voltea la imagen que estás tratando de dibujar, ponla cabeza abajo. Ahora dibuja exactamente lo que ves. El lado izquierdo de tu cerebro se tranquilizará. Las directivas organizadoras y lenguaje racional permitirán al lado derecho tomar el control, liberándote de tu parte analítica y juiciosa. Ya no te sentirás atada por "una silla" ni sentirás el estrés de dibujar la silla perfecta. ¡Inténtalo!

Este ejercicio, desarrollado a finales de los 1970 por Betty Edwards y descrito en su libro "Aprender a Dibujar con el Lado Derecho del Cerebro", cambió todo lo que yo sabía sobre aprender a dibujar. Descubrí un lado nuevo de mí misma al poner de cabeza la imagen que quería plasmar.

Este cambio de perspectiva me recordó la insistencia de Maria Montessori sobre tener "ojos frescos" cada día cuando trabajamos con niños—la habilidad de dejar nuestros juicios y observar de forma clara y fresca, de tal manera que la persona observada se mantiene libre de nuestros prejuicios, opiniones, y estados de ánimo.

Es con este espíritu de adoptar nuevas perspectivas que Jeff y yo entramos al mundo de la educación en el 2008: cabeza abajo y con ojos frescos.

Somos productos del sistema de educación pública de Estados Unidos. Ambos tenemos recuerdos de aquel "maestro mágico" que cambió nuestras vidas. Ambos recibimos grados académicos de universidades privadas tradicionales. Y ambos elegimos la educación como parte de nuestro camino profesional.

A pesar de nuestros antecedentes en educación, nunca pensamos en comenzar nuestra propia escuela o diseñar algo completamente nuevo en el área de la educación básica y media superior. Las cosas cambiaron solo cuando tuvimos a nuestros hijos. Entendimos que el mundo al que se enfrentarían nuestros hijos sería muy diferente—inimaginablemente--del mundo que nosotros encontramos cuando éramos jóvenes. Sabíamos que necesitarían estar armados para saber cómo aprender, responder, innovar, y crear a su manera en vez de tener habilidades para responder exámenes y seguir instrucciones como nosotros. Creíamos que nuestros hijos necesitarían que la luz de la curiosidad brillara en sus ojos—no solo al aprender, sino a lo largo de su infancia, adolescencia, y mucho más.

Una queda voz comenzó a escucharse en nuestros corazones cuando empezamos a buscar escuelas que podrían educarlos para este territorio abierto y futurístico para el que no teníamos un mapa. Lo que había funcionado cuando éramos niños ahora se veía desactualizado , impráctico, o simplemente erróneo, incluso cuando personas buenas e inteligentes trabajaban duro para adaptar las escuelas tradicionales a la oportunidades de hoy.

Sin mapa y sin estrategia a largo plazo, nos lanzamos como lo hacen los científicos y los artistas—con la disciplina para dejar ir a las ideas preconcebidas, experimentando sin exigir resultados, y utilizando principios claros con estándares de excelencia para restringirnos en cada ocasión. ¿Nuestra meta? Crear y traer a la vida una visión de la "escuela" que funcionara para nuestros hijos y cualquiera que quisiera unírsenos. No queríamos interrumpir o competir con escuelas públicas o privadas tradicionales. Queríamos funcionar en paralelo con ellas.

Mientras buscábamos datos y resultados, nuestro camino fue animado por un poder que no se menciona en los círculos académicos como parte de la ecuación de la educación.

Como a todos los padres, nos empujaba el amor. El amor por el espíritu humano, por la libertad, por el aprendizaje, por la aventura arriesgada, y por la responsabilidad. El amor por nuestros hijos y la luz en sus ojos.

Nos preguntábamos: ¿Puede la visión de una escuela encontrar racionalmente el poder del amor y reclamarlo?

Encontramos: sólo cuando la visión de esa escuela se pone cabeza abajo.

Acton Academy es el resultado de nuestros sueños y planes. Es una nueva visión de lo que puede ser una comunidad de aprendizaje. La visión es utópica y requiere fuerza de carácter. No es para los débiles de corazón, porque inspira a crecer y a transformarse—y eso no se logra sin algo de sufrimiento, que comparte la raíz latina de la palabra pasión.

Con casi una década de experiencia, podemos decir que el método de aprendizaje de Acton funciona. Tenemos pruebas, que revelaremos en las siguientes páginas.

Este libro es la historia del origen de Acton Academy. Aunque comenzó como una ambiciosa extensión de la educación en casa, Acton ha crecido para convertirse en una comunidad global con más de 800 estudiantes en más de sesenta localidades en ocho países, y crece cada semana. Muchas comunidades son pequeñas—no más de siete o diez estudiantes—porque abrieron recientemente. Las localidades más maduras están por alcanzar el tamaño máximo de 120 personas y están iniciando nuevas comunidades. Actualmente tenemos más de 5,300 solicitudes en la línea de padres de todo el mundo que quieren abrir una para sus propios hijos. Nuestra escuela fue establecida como una organización sin fines de lucro 501(c)(3) impulsada por eficiencia y responsabilidad en las operaciones para que el enfoque se mantenga en nuestra misión.

Nuestro modelo educativo incluye preguntas Socráticas para afinar el pensamiento crítico; enseñanza entre estudiantes; entrenamiento para el aprendizaje en el mundo real; y programas de aprendizaje en línea del más alto nivel de excelencia para dominar los básicos de lectura, gramática y matemáticas. Los proyectos activos diseñados con incentivos basados en teoría del juego permiten a los niños adentrarse en arte, ciencia, historia del mundo y economía.

Aunque podemos traducir los logros de nuestros estudiantes a un kárdex tradicional que demuestra la capacidad, la meta final del aprendizaje en Acton no es obtener una buena calificación en un examen o un 100 de un maestro. Es algo muy diferente y incluye resolver problemas reales, analizar dilemas morales, tomar decisiones difíciles, persuadir audiencias para tomar acción, crear oportunidades innovadoras para el mundo, resolver conflictos personales, y incluso hacer y administrar el dinero.

La última meta, sin embargo, es aprender a aprender, aprender cómo hacer, y aprender cómo ser, para que cada persona que pase por nuestras puertas encuentre su misión y cambie al mundo. Cada persona que se gradúa de Acton Academy está equipada para dominar con gusto la siguiente etapa de su vida—ya sea asistir a una buena universidad, tomar un año sabático para viajar, o comenzar su propio negocio.

Conforme los llevamos a lo largo de nuestra historia, experimentarán el ambiente físico de Acton, que está diseñado como una escuela con una sola aula, con todas las edades mezcladas de tal manera que los pares puedan aprender de, y enseñar a, los demás. También experimentarán el compromiso emocional de las personas y probarán cómo se siente la libertad para los niños.

Debido a que hay montañas de historias y experiencias que puedo compartir de esos años, he tenido que condensar estas piezas, moviendo algunos proyectos y discusiones fuera de su orden cronológico

Pero la historia es verdadera y es para ustedes.

Algunas personas dicen que lo que estamos haciendo no es realmente tan diferente. Es verdad, están surgiendo excelentes modelos educativos en el sector público y privado en todo el país que utilizan estrategias similares, incluyendo maestros impulsados por el amor a los niños y al aprendizaje.

Pero hay algunos aspectos distintivos de Acton que nos separan de cualquier otro modelo educativo, y son la razón detrás de nuestros fuertes resultados. También causan consternación en aquellos que ven a Acton en acción. Es difícil creer que es real hasta que lo ven.

Nuestra principal diferencia es la estructura de poder invertida que lleva el control y la toma de decisiones a los niños. Tenemos pocos adultos que fungen como figuras burocráticas de autoridad en nuestros ambientes de aprendizaje. Creemos que los adultos en estos puestos pueden limitar el aprendizaje y que los pares tienen más poder. Debido a esto, estamos libres de las ataduras tradicionales que se conocen como "escuela". Acton Academy no tiene maestros, sólo guías. No hay boletas de calificaciones, sólo insignias obtenidas por los estudiantes y portafolios para demostrar dominio de las habilidades. No hay aulas, sólo espacios de trabajo creativo llamados estudios. No hay tarea asignada, sólo lo que los niños deciden continuar haciendo en casa. No hay requisitos de asistencia. No hay burocracia, sólo una máquina bien aceitada que lleva los costos de la educación privada a niveles más bajos que cualquier otro modelo que hemos visto.

Sigan leyendo, les sorprenderá.

Visiten una Acton Academy y no escucharán un anuncio del director por las bocinas, ni verán a un maestro vigilando el comportamiento durante el receso. No escucharán timbres que marquen el final de matemáticas o la clase de ciencia.

Este cambio radical en el poder no significa que los niños corren salvajemente sin responsabilidades ni disciplina, aunque hay días en los que reina el caos. La historia de Acton es más sorprendente porque este cambio en la estructura de poder permite que los niños se preocupen profundamente sobre su aprendizaje que eligen trabajar duro, poner límites estrictos para ellos, y lograr la excelencia de formas que nunca habríamos imaginado.

El rigor auto-impuesto es integral para nuestra vida diaria.

Acton Academy está cimentada en confianza en los niños y en la creencia que puedan manejar grandes responsabilidades. "En Acton siempre es el día 'del opuesto,'" me dijo un día Ian, de ocho años. A través de la ambigüedad y el desorden en la vida y el aprendizaje, que los adultos solemos odiar, vemos que los niños se levantan y adoptan la mentalidad de los héroes—personas que son responsables de sus decisiones, se levantan después de caer, y se niegan a rendirse incluso cuando es difícil. Vemos a los niños aprender cómo aprender, y amando cada minuto.

Una segunda característica distintiva de nuestra escuela hace vibrar el lienzo cabeza abajo que hemos pintado. Es el paisaje sobre el que está asentado nuestra currícula y es el "por qué" detrás de todo lo que pasa en un día, semana, o año. Es nuestro viaje de héroes.

Esta gran narrativa mitológica de una persona que deja un lugar de confort para enfrentar un reto describe aquello por lo que los humanos añoramos desde el inicio de los tiempos. Deseamos una vida con significado. Deseamos ser conocidos por nuestra cualidad de únicos, no por lo que otros esperan que seamos. El periplo del héroe nos llama a cada uno de nosotros a responder las preguntas: ¿Quién soy? ¿Por qué estoy aquí? ¿Acudiré al llamado de la aventura—sabiendo que hay monstruos con los que pelear, oscuros valles que atravesar, y montañas que escalar? ¿Seré pasivo o activo respecto a la dirección que llevará mi vida? ¿Podré encontrar el tesoro de mi potencial, el santo grial, y volver a casa con él para ayudar a otros? Disney utiliza muy bien esta narrativa para atraer jóvenes corazones, al igual que los grandes escritores y narradores. El periplo del héroe atraviesa culturas y nos une como tribu.

Los niños de Acton Academy saben que se les reta a aprender, a ser expertos, a resolver, a perdonar, a pedir perdón, a discutir. Hacen eso porque saben que es parte de su camino personal—su viaje de héroes—encontrar sus mayores tesoros, sus dones internos, y afinarlos para resolver una necesidad apremiante en su comunidad, ciudad, o el mundo.

En Acton, hablamos con frecuencia sobre este periplo.

Ya se trate de aprender a multiplicar o enfrascarse en un reñido juego de pelota, hay una razón clara e importante que nos impulsa hacia adelante, Las personas en nuestra comunidad—desde los seis hasta los sesenta años de edad—abrazan el reto de aprender y crecer, sabiendo que habrá sufrimiento en el camino porque es parte del camino. Por este motivo, nos armamos con valor cada día. El valor para crecer.

Este es sólo el principio de nuestra historia, en muchas maneras. Parte de la magia del camino de Acton es su naturaleza cambiante y en constante evolución y el despertar que inspira no sólo en los niños de todos los credos e historias, pero también a sus padres.

Las páginas que siguen les llevarán a lo largo de nuestra búsqueda para crear una comunidad de aprendizaje única. Tendrán un recorrido de primera mano, y luego viajaremos en el tiempo para revelar cómo nuestra historia realmente se desenvolvió—de manera poco glamourosa y tentativa, con tropiezos, fracasos, alegrías, lágrimas y victorias. Conforme luchamos para crear una escuela que fuera libre de ver el aprendizaje desde otro punto de vista, encontramos amigos, héroes, guías y enemigos—todos en los lugares menos esperados

Puede sentirse muy desordenado porque lo fue y aún lo es.

Este no es un manual de instrucciones. Tampoco es un libro sobre teoría educativa. Simplemente es nuestra historia de sorpresa y descubrimiento, de nuestro crecimiento por prueba y error al punto que nuestras creencias fundamentales de educación fueron transformadas y nuestra creación, Acton Academy, está lista para expandirse. Y como todas las buenas historias, hay un final inesperado—un poco de la magia de ser padres y vivir que ha cambiado a nuestra familia y muchas otras.

He aprendido mucho a lo largo del camino. Una de mis lecciones favoritas surgió de responder las preguntas que me hizo el maestro socrático experto Steven Tomlinson, quien preguntó, "¿Preferirías sorprenderte o estar en lo correcto?"

Comencé este camino queriendo estar en lo correcto. Quería fórmulas, respuestas, evidencia. Incluso quería boletas, resultados de exámenes, y calificaciones—una figura de autoridad que me dijera cómo iba.

Ahora estoy agradecida de haber sido sorprendida. Con la sorpresa viene un sentido de maravilla, un sentido de riesgo y de saltar a lo desconocido, lista para autocorregir cuando fuera necesario. Ver a la escuela como un experimento ha significado que todos somos aprendices en Acton; no hay expertos entre nosotros. Hay una característica distintiva divertida, juguetona, pero profundamente seria que nos rodea día con día, porque estamos regidos por principios y propósitos. Podemos ser libres para explorar con un sentido de estabilidad en nuestras indagaciones y nuestro camino.

¿Podrían liberarse lo suficiente de sus propias experiencias educativas pasadas para ver las cosas cabeza abajo? ¿Son de las personas que emprenderían una gran aventura con su familia o, de ser necesario, abriría su propia Acton Academy? Al menos, esta historia podría inspirarlos a quedarse quietos y escuchar a esa queda voz en su corazón. Es posible que el destino de una sociedad libre—y el futuro de sus hijos—dependa de su respuesta a esta pregunta: ¿Se unirían a nosotros?

Permítanme dibujarles una nueva imagen.

CAPÍTULO 1

UN DÍA *en la* VIDA *de* ACTON ACADEMY

"La comunidad de Acton y la experiencia de vida provee a nuestro hijo con el mejor ambiente posible en el cual desarrollarse. Empodera a los niños de una forma sin igual. Realmente creemos esto, en relación con cualquier otra opción educativa. Cada padre Acton se va a la cama cada noche agradecido por tener la oportunidad de estar en el presente."

—CHARLIE Y PAM MADERE, PADRES DE ACTON ACADEMY

Era la primavera del 2011. El segundo año de Acton Academy estaba en pleno apogeo. La familia Staker jamás había puesto un pie en Texas. "Teníamos que ver Acton por nosotros mismos," dijo Allan Staker, mientras describía el recuerdo de aquél día cuando él y su esposa, Heather, volaron a Austin por un día, por una razón.

Querían ver si lo que habían escuchado de nuestra escuela era verdad. Heather, una experta líder en escuelas innovadoras, había visitado cientos de aulas en todo el país, reuniéndose con maestros, administradores y líderes de opinión para recolectar evidencia sobre las mejores prácticas.

"Entramos en la estrecha calle del centro y pagamos por el estacionamiento. Estaba muy cerca del centro de la ciudad, pero aún así se sentía como una calle tranquila. No había mucho tráfico, y ¡la casa era tan linda! Diminuta, de hecho, con un hermoso letrero de Acton Academy al frente.

Hermosos árboles bordeaban la calle y la propiedad estaba bien sombreada. Un puente llevaba de la acera a la puerta principal. Heather había visitado muchas escuelas antes, pero esta era mi primera vez. Pero he sido estudiante y padre, y conozco cómo debe lucir una escuela, y cómo deben comportarse los niños. No tenía idea de lo que me esperaba.

"Laura, nos encontraste en la puerta y nos llevaste a la alfombra verde en el salón principal, donde los estudiantes estaban teniendo una discusión matutina. Nos sentamos en silencio en la parte de atrás. Los estudiantes estaban sentados en el suelo en un círculo ordenado. Nadie estaba distraído o dando problemas—todos estaban involucrados.

"Es fácil olvidarlo ahora, pero los estudiantes eran muy jóvenes—aún no había secundaria ni preparatoria. Estaban acordes al tamaño del pequeño y adorable edificio. Creo que habría unos quince o veinte.

"Los niños sostenían una discusión socrática sobre qué juegos podrían o no jugarse durante el receso. Manos levantadas, ideas bien organizadas, y una tranquila, sorprendente intensidad—todo sobre algo tan trivial como el juego de cuatro cuadras," continuó Allan. Luego describió lo que vieron, que permanece grabado en su memoria

"Esto continuó durante algunos minutos. Fue fascinante—yo no sabía que lo niños en grupo eran capaces de eso.

Inmediatamente noté que había muy pocos aportes por parte de los guías—sólo sugerencias y concesiones entre los estudiantes, y luego el asunto estaba concluido.

"Después de la discusión, los guías enviaron a los estudiantes a trabajar en sus proyectos. No sé que estaba esperando, pero lo que ocurrió fue fascinante. Los estudiantes se levantaron tranquilamente y luego, de dos en dos, y sin la guía (¡o coerción!) de los adultos, los pares se trasladaron a una estación diferente.

No podría haber estado mejor coreografiado. Un par se sentó en pequeños escritorios para trabajar en su reloj de patata. Otro par se movió al juego de Lego Mindstorms y siguieron trabajando en un reloj que estaban programando. Otros dos se sentaron uno al lado del otro, abrieron sus laptops, y comenzaron a buscar videos relacionados con un proyecto en el que estaban trabajando. Otros dos entraron a Khan Academy y empezaron a trabajar en matemáticas. ¡Cada par estaba realizando una actividad completamente diferente! Y lo hicieron de manera ordenada, alegre y autoguiada.

"¿Y los guías? Actuaban como si todo esto fuera completamente normal. Sólo estaban ahí disfrutando del espectáculo. Recuerdo que los estudiantes llevaban batas de laboratorio. Las batas estaban colgando de ganchos en la cocina. Creo que ese fue uno de los detalles que nos convencieron. ¡Estos niños estaban en una simulación del laboratorio de Thomas Edison!

"Cada uno de los cuartos de la pequeña casa estaba lleno de luz y lleno de bondades educativas—en forma ordenada, como si los diseñadores del escenario del programa "el Vecindario de Mr. Rogers" estuvieran haciendo una sesión para la revista "Real Simple". Había globos terráqueos y juguetes y un pez dorado y libros . . . todo excepto el trenecito.

"Cada habitación se sentía como un lugar donde te gustaría sentarte y aprender. Era el lugar perfecto para que un niño pasara cada día. En la cerca alrededor de la propiedad había un mural pintado por los niños. Era colorido, alegre y juguetón.

"Conforme nos imaginábamos ahí a nuestros hijos, Heather y yo estábamos radiantes. Sabíamos que la fecha límite para enviar las solicitudes de ingreso era al día siguiente. Sentados en el aeropuerto esperando nuestro vuelo a casa, rápidamente descargamos los libros que necesitábamos leer como parte del proceso de admisión. Pasamos todo el vuelo llenando las solicitudes. Al día siguiente, recogimos temprano a nuestros hijos de la escuela para que llenaran las suyas. Cuando nos aceptaron, busqué un empleo que nos llevara a Austin."

Heather añadió a la historia. "Recuerdo la atracción total que Allan sintió hacia todo lo que vimos. También recuerdo estar sentada en el aeropuerto de Austin, mirándonos y sabiendo al mismo tiempo lo que debíamos hacer, como si fuera el destino.

"Desde mi perspectiva, hubo dos novedades que noté cuando observamos Acton Academy por primera vez ese día. La primera fue que descubrías, antes que en cualquiera de las escuelas que había visto, que la innovación disruptiva del aprendizaje en línea empuja el control hacia los estudiantes de una manera que replantea fundamentalmente las capacidades de los niños. Si los niños tienen la capacidad de aprender mediante instrucciones en línea, entonces por qué no quitamos a los adultos del camino y ¡equipamos a los niños para conseguirlo! Me emocioné ver la facilidad con la que adoptabas la idea, y cómo funcionaba. Los guías estaban a la mano para activar el aprendizaje, pero los niños se habían adaptado para hacer el resto sin necesidad de que los adultos estuvieran encima. La liberación y empoderamiento de los niños te quitaba el aliento.

"Segundo, me impresionó su ambiente. Cada rincón de la casa—desde las herramientas de la cocina a los rincones de lectura y el área de robótica hasta los aros hula caseros en el patio—estaba diseñado para encender la curiosidad, experimentación y alegría de la niñez. Se veía como las mejores escuelas finlandesas que son tan aclamadas hoy en día. No podíamos tener a nuestros hijos en una escuela convencional un minuto más—no más lecciones convencionales, no más áreas de recreo convencionales, no más enseñar a los niños a poner una burbuja en sus bocas y permanecer callados mientras esperaban formados en fila. Las innovaciones que dan poder a las personas que no lo tienen han cambiado la ecuación, y descubriste esto en Acton Academy, al menos una década antes que los demás."

. . .

Heather Staker era una joven luminaria en el mundo de la educación innovadora. Como estudiante de último grado de preparatoria en Irvine, California, había sido parte del Consejo de Educación. Asistió a la escuela de negocios de Harvard y estudió bajo Clayton Christensen, finalmente colaborando con él a finales del 2010 para escribir un reporte sobre la más nueva innovación educativa—el aprendizaje en línea—y cómo las escuelas utilizaban la tecnología para servir a los estudiantes. Como parte de su investigación para este reporte, ella y un colaborador, Matt Clayton, llamaron a Jeff para entrevistarlo sobre Acton Academy.

Ignorábamos que esta llamada llevaría al viaje que los Stakers harían a Texas unos meses después.

Jeff había seguido el trabajo de Christensen sobre innovación disruptiva con gran interés y acordó a tener una conversación telefónica de quince minutos. Cuando terminaron la llamada, habían hablado mucho más que los quince minutos acordados. Más bien fueron noventa. Staker hizo algunas preguntas, pero principalmente escuchó a Jeff describir la meta de Acton de llevar el control hacia los estudiantes. Permitiéndoles progresar a su propio ritmo e interaccionar como una comunidad de aprendices. Él describió las bases de la escuela y su adherencia a las enseñanzas socráticas—así como el uso de varios programas de aprendizaje en línea, incluyendo DreamBox, Rosetta Stone, y Learning Today.

Cuando Jeff pensó que habían terminado, hubo un momento de silencio del otro lado de la línea.

"¿Puedo hacerte una pregunta personal, que no está conectada al estudio?," preguntó Staker.

"Seguro," dijo Jeff.

"Permitirías que mi esposo y yo fuéramos los primeros en abrir una Acton Academy en California? Esta es por mucho la escuela más emocionante que he estudiado, y quiero algo así para nuestros hijos."

Heather y Allan tenían cuatro hijos entonces, y vivían en Honolulu, Hawái, pero estaban considerando mudarse al continente, y tenían los ojos puestos en California. Su hijo mayor estaba por comenzar la escuela primaria.

Jeff me llamó después de colgar con Heather y dijo, "Felicitaciones. Tu escuela está cautivando a las mentes más brillantes en educación. Prepárate para hacer paquetes de prototipo para que otros puedan seguir tu ejemplo. Pronto recibiremos una copia del reporte de Staker. Será interesante ver cómo describe a Acton Academy en comparación con otras escuelas."

¿Seguir mi ejemplo? Estaba construyendo el avión mientras lo volábamos, como diría Jeff. Acton Academy tenía sólo dos años y ya estaba cerca de alcanzar su capacidad máxima de treinta y seis estudiantes (Apéndice A). Se hablaba que nuestros estudiantes habían progresado tres niveles, en promedio, en las pruebas estandarizadas nacionales que aplicamos—y esto después de nueve meses en el programa. El secreto más seductor, sin embargo, era que los niños de Acton amaban aprender. Nuestro secreto había sido descubierto. Pero no estaba pensando sobre lo que quería el resto del mundo. Simplemente estaba enfocada en crear un camino de aprendizaje atractivo y retador para los niños de Acton Academy. Algo estaba pasando entre las paredes de nuestra diminuta y adorable casa. Era aprendizaje gozoso. ¿Podríamos embotellarlo? ¿en un paquete? ¿para que otros lo utilizaran? No tenía tiempo para pensar en ello. La discusión socrática de la mañana estaba por comenzar.

. . .

Libby terminó de leer en voz alta el artículo de periódico y miro al grupo de estudiantes sentados en círculo en el suelo alrededor de ella. Acababa de explicar la premisa de la discusión socrática del día, que había armado de diferentes fuentes para darles una imagen completa del problema: Había ballenas atrapadas en el hielo ártico. Sólo tenían pequeños agujeros por los cuales respirar, y los agujeros se hacían cada vez más pequeños conforme el hielo se volvía a congelar. No podían alcanzar el mar abierto en una sola respiración. Las ballenas se ahogarían tan pronto como el hielo se solidificara. También estaban atrapados en el hielo tres barcos comerciales, la tripulación cerca de la inanición y la hipotermia. No podían liberarse solos y no podían viajar sobre el hielo hasta un lugar seguro.

Había rompehielos cerca que podrían ayudar, pero el tiempo estaba contado tanto para las ballenas como para las tripulaciones de los barcos.

"Si ustedes fueran los transportistas de los rompehielos," preguntó Libby, "¿qué harían?" ¿Los enviarían a salvar los barcos o las ballenas?"

Los niños hablaban entre ellos, discuten y se ponen de acuerdo, especificando las razones de su opinión y construyendo sobre los argumentos de los demás. Se construyó un consenso alrededor de la idea de poder salvar los dos si se trabajaba lo suficientemente rápido. Libby estaba lista para hacer la discusión más acalorada. "Hay más información importante. El clima está empeorando rápidamente. Es imposible salvar tanto a las ballenas como a los humanos en estas condiciones. ¿A quienes eligen salvar, a las ballenas o a los humanos?"

El debate sobre la ética de salvar a uno o a otro se vuelve más emocional, pero permanece claro y respetuoso.

"Hay muchos humanos en el mundo," dijo Ellie. "¿No es más importante salvar a las ballenas?"

"¿Pero deberíamos dejar que la gente muera?" preguntó Chris.

"Estas ballenas están en la lista de especies en peligro de extinción," dijo Anaya, apuntando al pizarrón.

Había treinta y seis estudiantes en el grupo. Libby detuvo la discusión e hizo una votación. Era un empate: La mitad quería salvar a las ballenas, y la otra mitad quería salvar a los humanos. El debate continuó.

En perfecta forma socrática, Libby no cedió. Alzó el dedo en señal que había más información.

Dijo, "Hay 20 ballenas aún con vida en el hielo y 1,000 personas en el barco."

Esto pareció llevar el grupo a una solución, y la energía de la discusión disminuyó.

Libby continuó aumentando la temperatura para reiniciar la intensidad del conflicto.

"Estas son las últimas 20 ballenas grises que quedan en el mundo," dijo.

Los estudiantes se acercaron. Esto cambiaba todo. Luego dejó caer el golpe final: "Y su familia está en el barco."

Las preguntas de Libby—crear un dilema moral ficticio basado en una situación real—logró exactamente lo que busca el método socrático: forzar decisiones difíciles, cambiar ideas con base en el análisis de la información, y fomentar la habilidad de escuchar y comunicarse de forma concisa y con propósito.

Después de cinco minutos de argumentos claros, pero acalorados, Libby miró el reloj. Con un total compromiso a las reglas socráticas, sabía que era tiempo de terminar la discusión

"Un último voto. Por favor levanten su mano si salvarían a los humanos." Contó las manos alzadas. "¿Quienes salvarían a las ballenas?"

Estaba claro. Los humanos habían ganado esta.

"Gracias a todos por su participación. Tenemos tiempo para

que dos personas compartan por qué cambiaron de idea y cualquier lección que hubieran aprendido de la discusión." Con una pequeña sonrisa de satisfacción, cerró el grupo justo a tiempo. Los estudiantes se levantaron, y le dieron una ronda de aplausos. Los había llevado a través de un escabroso territorio intelectual y emocional con un aire de elegancia profesional. Ellos, también, estaban satisfechos. Todos se dispersaron a sus escritorios para comenzar con su trabajo independiente.

Libby tenía nueve años entonces. No había un sólo maestro en la sala conforme facilitaba la discusión, y ningún adulto seleccionó el tema, le aconsejó, investigó o escribió las preguntas. Los niños en el círculo tenían entre seis y diez años de edad.

. . .

La mayor parte de los días, Acton Academy funciona como una sociedad bien ordenada, tan bien manejada como un pequeño pueblo americano con un gobierno funcional, leyes, y una economía bien sintonizada, en donde cada persona contribuye una habilidad especial.

En otros días, los líderes no se levantan, y pequeñas distracciones se convierten en caos. Estos días incluyen momentos de enorme frustración conforme los adultos debemos forzarnos a retroceder una vez más—y quizá dos veces o más—para dejar que los niños resuelvan sus propios problemas.

Yo no comencé con esta inclinación natural para retroceder cuando mis hijos tuvieran un problema, para dejarlos resolverlo por sus propios medios. Prácticamente tendrían que atarme para que yo no fuera corriendo a atar las cintas de sus zapatos para que no tropezaran, o correr a casa para recoger sus mochilas cuando las hubieran olvidado, o decirle al niño malicioso que dejara de molestar a mi hijo en el parque.

No comprendía completamente el salto que debía de hacer en mi mente y corazón para confiar en los niños para que resolvieran sus problemas e incluso sufrieran para crecer en personas funcionales, inteligentes y amables. Me tomaría una década completa antes que comprendiera la urgencia de esta lección.

Y todo comenzó con una conversación aparentemente inocua con un maestro en el pasillo de una de las mejores escuelas tradicionales en Austin, Texas.

Capítulo 2

UN LLAMADO *a la* ACCIÓN

"Sheila y yo somos bendecidos porque tú y Jeff tomaron la iniciativa de comenzar este excelente ambiente de aprendizaje. No podríamos imaginar un mejor lugar para equipar a nuestros hijos para el futuro."

—HERB AND SHEILA SINGH, PADRES DE FAMILIA DE ACTON ACADEMY

Como cada jueves por la tarde en el 2007, Jeff, con su traje azul obscuro y corbata roja, recogió a Taite, nuestra hija mayor (a quien compartíamos con su madre), condujo a casa, y caminó a través del camino de grava hasta la puerta. Taite, de diez años, arrojada y encantadora, saltaba detrás de él, su uniforme desarreglado al final del día. Conforme Jeff se acercaba, pude ver algo obscuro en su expresión. Generalmente le emocionaba pasar tiempo valioso con Taite; algo estaba mal.

"No podemos seguir haciendo esto," me dijo quedamente.

"¿Hacer qué?" le pregunté, justo cuando Charlie, de cinco años, y Sam, de cuatro, se empujaban para llegar a Taite, su persona favorita en la tierra. Era una hermosa tarde de abril y el verde jardín los llamaba. Los niños corrieron hacia el patio, nuestros tres perros ladrando escandalosamente detrás de ellos. Jeff y yo nos sentamos juntos en la escalera del porche, y esperé a que continuara.

"Ya no seguiremos haciendo esto de la escuela," me dijo. Miró a sus hijos jugar.

No estaba segura de dónde venía esto. Taite estaba feliz en su primaria tradicional, y a los niños les iba bien en una escuela Montessori; aún eran muy pequeños para la escuela primaria, pero ya estábamos pensando a dónde los enviaríamos.

Jeff explicó.

Cuando recogió a Taite de la escuela, entró a hablar con con su maestro de matemáticas. Le dijo que estábamos buscando opciones más tradicionales para Sam y Charlie, quienes hasta entonces tenían, en su escuela Montessori, opciones sobre en qué trabajar durante el día y muchas oportunidades de movimiento.

Jeff preguntó, "¿Qué tan pronto deberíamos cambiarlos a una escuela más tradicional?"

El maestro dijo, "Tan pronto como sea posible."

Jeff preguntó por qué, y el maestro dijo, "Una vez que han tenido toda esa libertad, odiarán estar encadenados a un pupitre y escuchar pasivamente todo el día."

Jeff no pudo evitarlo. "¡No los culparía!"

El maestro miró al suelo, y Jeff se preocupó de haberlo ofendido. Cuando volvió la mirada, había lágrimas en los ojos del maestro.

El maestro, conocido como el mejor de la escuela, dijo, "Yo tampoco."

Jeff me miró. "Laura, me rindo," dijo.

"Charlie y Sam pueden aprender sin estar atrapados en un

escritorio todo el día. Tenemos que encontrar una alternativa. Hemos hablado de lo mucho que ha cambiado el mundo desde que fuimos a la escuela. Necesitamos educarlos en casa o crear nuestra propia escuela."

Habíamos seleccionado un programa Montessori para los niños porque habíamos estudiado el trabajo de María Montessori y creíamos en la ciencia detrás de su diseño que daba a los niños opciones en su trabajo, junto con límites claros. Pero nuestra escuela no tenía un programa de primaria mayor, por lo que sabíamos que tendríamos que hacer el cambio algún día. Desafortunadamente, nuestras opciones eran muy similares, justo lo que nosotros habíamos experimentado cuando estábamos en la escuela. Pero ahora el mundo era tan diferente, con los teléfonos inteligentes, el Proyecto Genoma Humano, y Google, para empezar. ¿Cómo sería el aprendizaje del siglo veintiuno si comenzaras con una hoja en blanco?

Estábamos escuchando un llamado a la acción—el comienzo de cada viaje de héroes desde el inicio de los tiempos.

Viendo al pasado para ver hacia el futuro

Jeff y yo no estábamos seguros de cómo se vería el futuro del aprendizaje, pero teníamos un mapa de lo que había funcionado en el pasado. Estados Unidos no siempre había tenido una mega-industria de la educación. De hecho, todo comenzó con escuelas de una sola aula y aprendizajes prácticos. Hacia el final del siglo diecinueve, Estados Unidos era el país más fuerte del mundo sin un sistema educativo centralizado. Lectura, escritura y matemáticas se impartían en escuelas con una sola aula, donde niños de todas las edades aprendían uno del otro. Las grandes historias heróicas del mundo—educación mediante alegorías—eran pilares, así como lo eran las historias de superación de Horatio Alger que hicieron el esfuerzo individual parte del ADN estadounidense. Solo unos cuántos de la élite asistían a la universidad, para estudiar leyes o unirse al clero. Los jóvenes aprendían a hacer algo útil en un sistema de maestro y aprendiz. Aprender para saber—adquirir conocimiento mediante repetición y memorización—era valioso, especialmente porque los libros eran caros y difíciles de encontrar. Pero aprender a hacer y aprender a ser también se valoraba. Juntos, competencia y carácter, eran más importantes que el conocimiento. Con la compleja evolución y crecimiento de las escuelas públicas y privadas en nuestro país, cada vez se necesitaba más y más contenido estandarizado, basado en exámenes para probar el conocimiento y categorizar a los niños según sus calificaciones. Nos preguntábamos si sería posible recuperar lo que se había perdido en el proceso.

La oportunidad nos fascinaba. Cómo aprendió el método socrático cuando estudiaba en la Escuela de Negocios de Harvard, Jeff lo utilizaba con sus estudiantes de posgrado. Yo había estudiado cognición y aprendizaje para recibir mi maestría en educación del Colegio Peabody de la Universidad de Vanderbilt. Siempre había albergado la idea de convertirme en maestra de una escuela pública.

Estábamos encantados aprendiendo sobre la historia de la educación y emocionados por la explosión de tecnología. Con las bibliotecas digitales y los cursos en línea disponibles y accesibles, podríamos traer cada gran catedrático, experto y maestro hasta nuestra casa. Al mismo tiempo, el uso de innovadores juegos educativos—ludificación—estaba haciendo erupción a nuestro alrededor y estaba aquí para quedarse. Esto significaba que los expertos en tecnología y educación estaban integrando mecánica de juegos con el contenido del currículum para hacer el aprendizaje más emocionante y divertido. En SimCity, por ejemplo, los niños aprenden los básicos de la ingeniería civil y cómo pensar como un alcalde para entender la planeación urbana. Vimos oportunidades infinitas para transformar el "currículum" y hacer el aprendizaje tan cautivador como un juego—uno que parece adictivo, que atrapa la atención de tal forma que el tiempo parece desaparecer. Dimos un respiro profundo y decidimos cruzar el umbral hacia territorio desconocido.

Vislumbrando una nueva visión del aprendizaje

Sabíamos que íbamos a salirnos del camino tradicional para la educación de nuestros hijos, pero no teníamos una idea clara de cómo se vería este nuevo camino. Jeff, quien había sido nombrado por las revistas BusinessWeek y The Economist como uno de los mejores profesores de emprendimiento en el país cuando era profesor en la Universidad de Texas, fundó la Escuela Acton de Negocios, nombrando este programa especializado de Maestría en Administración de Negocios (MBA por sus siglas en inglés) en honor al académico y filósofo victoriano Lord John D. Acton.

Los textos de Lord Acton sobre la libertad y el aprendizaje sirvieron bien a la misión emprendedora. Acton es famoso por la frase,

"El poder tiende a corromper. El poder absoluto corrompe absolutamente." El trabajo más profundo de Lord Acton estaba enfocado en la relación entre la libertad y la moralidad. Él imaginó una comunidad que es libre y virtuosa. Sus principios incluían buscar la excelencia y aportar desinteresadamente por el bien de la comunidad.

Nosotros, también, imaginamos una comunidad para los aprendices más jóvenes—de cinco o seis años de edad—que estuviera regida por principios de libertad, excelencia, y bondad moral. El nombre de Acton nos ayudó a llevar nuestros sueños de sus augustos ideales a verdades concretas.

¿Qué significa un nombre?

Llamarnos "Acton Academy" rápidamente nos obligó a delinear nuestros principales valores y principios del aprendizaje. Decidimos juntar lo que sabíamos que podría funcionar y experimentamos con ello. Si no funcionaba, intentaríamos algo diferente.

Algunas de nuestras mejores ideas vinieron de nuestros hijos, sentados alrededor de la mesa del comedor. Una noche, mientras cenábamos tacos y compartíamos lo que había ocurrido durante el día. Sam se emocionó.

"¡Hagamos una feria! Como una feria de ciencias, pero con negocios."

Esto sonaba interesante. Desde el momento que tuvimos la idea de iniciar nuestra propia escuela, les habíamos estado dando grandes proyectos a Charlie, Taite y Sam para que nos ayudaran a entender cómo aprendían, que los emocionaba, y que recursos podían utilizar. Uno de estos proyectos era sobre emprendimiento, el área en la que Jeff era experto. Habían practicado con variantes del puesto de limonada en la esquina de nuestra calle, aprendiendo la diferencia entre ganancia e ingresos y cómo tomar decisiones operativas a través de un juego llamado "Rob Rush." Este juego había sido creado para estudiantes de posgrado, pero nuestros niños estaban jugando y aprendiendo con él. Esto nos sorprendió e iluminó.

Nuestra conversación durante la cena había pasado de hablar sobre nuestros días a enfocarse en esta pregunta: "¿Cómo puedes demostrar que has aprendido algo sin necesidad de presentar un examen?"

"Solo lo haces," dijo Taite. Sus palabras encendieron la idea del a feria en la cabeza de Sam. Con esta idea fresca en la mesa, Jeff y yo empezamos a mencionar nombres que pudieran ser atractivos. ¿Qué tal Expo de Jóvenes Emprendedores? ¿La Exhibición de Emprendimiento?

Charlie exclamó. "Llamémosla como lo que es. Es una Feria de Negocios de Niños."

Tan claro. Tan simple. Tenía razón. Con eso, decidimos ser anfitriones, en nuestro patio, de una Feria de Negocios de Niños. Hicimos panfletos, una página web simple, e invitamos a otros niños a participar de la diversión

Después de la cena, Jeff y yo nos dimos cuenta de algo obvio pero casi siempre ignorado respecto a la educación. Debemos involucrar a los niños en el proceso de toma de decisiones sobre sus experiencias de aprendizaje.

Se puede confiar en ellos para ser creativos y dirigir. Su participación inspira una sensación de pertenencia y orgullo. Además, tienen ideas fantásticas—mucho mejores que las nuestras.

Así comenzamos a definir los valores principales de "Acton Academy."

PRIMERO, CONFÍEN EN LOS NIÑOS

Es una verdad que conocían los Padres Fundadores—que los niños necesitan guías, mentores, y autoridad legítima, y que se les puede confiar con mucha más responsabilidad que la que muchos administradores escolares podrían imaginar. Al menos esa era nuestra experiencia.

Esta confianza en los niños se nos daba fácilmente a Jeff y a mí. Yo la aprendí de mis padres, que mudaron a la familia de costa a costa y más durante mi niñez. Mi padre, un reconocido pastor, y mi madre, una apreciada maestra de ciencias, sabían que el mejor aprendizaje venía de explorar el mundo, tener trabajos reales desde temprana edad, y hacer pregunta profundas de los mentores.

Confiaban en mí y en mis hermanas desde muy temprana edad.

Jeff aprendió las mismas lecciones escuchando a Sugata Mitra compartir sus historias sobre cómo los niños pueden aprender por sí mismos cuando se les deja solos, sin intervención de los adultos.

Esta simple idea de confiar en los niños con libertad y responsabilidad sería el ingrediente secreto de Acton Academy.

LUEGO, DÉJENLOS BATALLAR

Es mucho más fácil pensar objetivamente en dejar a los niños batallar para resolver sus propios problemas que llevar estos pensamientos a la acción como madre. Cuando veo que mis hijos sufren, mi instinto maternal se deforma y entro a arreglar las cosas—incluso cuando yo sé que ellos pueden resolverlo por sí mismos.

En un nivel intelectual, Jeff y yo sabíamos que el batallar era valioso para un aprendizaje y crecimiento verdadero. Nuestra nueva cultura escolar necesitaba adoptar la importancia de aprender de los errores—no evitarlo. El nuestro no sería un ambiente de "trofeos para todos." Pero ¿podríamos encontrar padres de familia que permitieran a sus hijos batallar, fallar, e incluso sufrir para crecer? ¿Podría yo ser ese tipo de madre?

Madeline Levine escribió en "El Precio del Privilegio," "los padres que constantemente intervienen por sus hijos, en vez de apoyar sus intentos para resolver el problema, interfieren con la tarea más importante de la infancia y la adolescencia: el desarrollo del sentido de identidad propia."

¿Cómo podría pedir a otros padres detenerse si yo misma no podía hacerlo? Esta verdad necesitaría ser parte de mi vida diaria como mamá para poder apoyar a otros que quisieran unirse a Acton Academy.

Y COMO SIEMPRE, APROVECHEN LA AVENTURA

Preguntas, curiosidad, confianza, esfuerzo—estas eran las características definitivas de una verdadera aventura. Conforme se acomodaban las piezas del rompecabezas, nos dimos cuenta que Acton Academy era más una búsqueda para descubrir nuestras principales fortalezas y las grandes maravillas del mundo que una "escuela." Esto nos llevó a perseguir un entendimiento más profundo del periplo del héroe. Desde el principio de la civilización, el gran mito de la vida como una aventura de autodescubrimiento ha encendido almas de todas las edades. El trabajo de Joseph Campbell dio vida a la verdad detrás de esta narrativa. George Lucas y Disney la han utilizado bien. Desde "La Guerra de las Galaxias" hasta "El Rey León" y "La Bella y la Bestia," estas historias giran alrededor de la verdad que incluso los niños pequeños son atraídos por preguntas transformadoras:

- ¿Realmente estoy a la altura de esta tarea?
- ¿Puedo superar los peligros?
- ¿Quiénes son mis amigos?
- ¿Tengo el valor y la capacidad para enfrentar el reto delante de mí?

Cada uno de nosotros es solo una persona ordinaria; pero si estamos dispuestos a decir "sí" a experiencias nuevas y seguimos avanzando, incluso cuando es difícil, duele, e incluye fracasos, entonces estamos—todos—en un viaje de héroes.

Nuestra decisión estaba tomada. Acton Academy sería una invitación a un viaje de héroes de la vida real. El valor para decir "sí" a este periplo sería el punto de partida para cada niño y padres.

Reuniendo un cimiento sólido de mentores

Durante los meses que siguieron, Jeff y yo buscamos héroes de la educación. Esperábamos que nuestra investigación sobre estos héroes nos ayudaría a tener una mejor idea sobre lo que funcionó y no funcionó en la educación de los niños.

Uno de estos héroes era Oliver DeMille, autor de "A Thomas Jefferson Education: Teaching a Generation of Leaders for the Twenty-First Century". Lo invitamos a Austin, y poco después nos encontramos reunidos con él en nuestra sala, tomando té frío.".

"Mi familia tenía muchas expectativas para mí," dijo, con sus largos brazos extendidos sobre el respaldo del sillón. "Yo era sociable e inquisitivo, y ellos amorosamente creían que yo sería exitoso en cualquier cosa que intentara. Pero no podía aprender a leer."

Su familia no tenía televisor, y sus padres leían a sus hijos durante horas. Sus padres, incluso, eran maestros en su escuela. Aún así, no podía leer.

"El distrito escolar realizó pruebas extensas y decidió que debían incluirlo en el curso de educación especial para estudiantes con necesidades especiales de aprendizaje. Estaba confundido y preocupado cuando dejé a mis compañeros para unirme a esta clase 'especial'."

No pasó mucho tiempo antes que su padre fuera al aula y le pidió que lo acompañara al pasillo. "Mi papá me tomó de la mano, me llevó a una clase avanzada y dijo simplemente: 'Perteneces aquí'. Con esas palabras cambió mi vida para siempre."

Sus padres siguieron trabajando con él en casa, y después de varios años de dificultades y paciencia, Oliver se convirtió en un lector. Esta experiencia le ayudó a desarrollar uno de sus principios clave.

"Mi padre creía que nadie debería ser maestro a menos que creyera que cada niño es un genio," nos dijo. "Soy lo que soy porque creyó en mi."

Y luego repitió su consejo de oro: "Nadie debe ser maestro a menos que crea que cada niño es un genio."

Cada niño es un genio. Radical, maravilloso, y completamente contrario a la constante clasificación de niños que se lleva a cabo actualmente. Se sintió natural integrar su creencia a nuestro trabajo en Acton Academy; se convirtió en nuestro fulcro.

Más tarde esa noche, después de que nos despedimos de Oliver, tomamos nuestros cuadernos de notas y escribimos el nombre de los héroes de la educación que se convertirían en nuestras musas.

SÓCRATES

Sócrates, el filósofo y maestro de la antigua Grecia enseñaba mediante preguntas y aseguraba que no sabía nada. Inspiraba a la juventud a buscar la verdad mediante preguntas implacables. El método socrático ha probado ser el mejor camino para afinar el pensamiento crítico y entender la condición humana más allá de simples hechos. La clave para tener éxito dentro del método va más allá de crear preguntas que provoquen a los estudiantes a pensar. El poder yace en el compromiso de no responder a las preguntas. Con este compromiso viene el entendimiento por parte de los estudiantes que ellos deben encontrar las respuestas en vez que que se las brinde un experto. Los estudiantes mismos se convierten en maestros y en buscadores del conocimiento y la sabiduría.

THOMAS JEFFERSON

Nuestro tercer presidente, y el principal autor de la Declaración de Independencia, creía en aprender haciendo. El predicaba con el ejemplo; creía en el valor del aprendizaje y los mentores. "¿Quieres saber quién eres?" preguntaba. "No preguntes. ¡Actúa! La acción de delineará y definirá."

En nuestra estrategia, los estudiantes buscarían cada año de secundaria y preparatoria un aprendizaje en las áreas que les despertaran mayor curiosidad. Esto comenzaría con inventarios personales que señalen intereses y pasiones potenciales. Luego, buscarían oportunidades y crearían una lista de personas a quienes contactar. Los estudiantes aprenderían a escribir un correo electrónico que sea respondido, agendarían una entrevista, y finalmente practicarían sus habilidades de entrevista. Luego harían trabajo en el mundo real, destinando entre 40 y 160 horas del año escolar trabajando junto a un experto en el área.

MARIA MONTESSORI

Maria Montessori fue una doctora y educadora innovadora que vivió durante la primera mitad del siglo veinte. Desarrolló una filosofía educativa basada en la dirección de los estudiantes que es utilizado en todo el mundo. Los pilares de su método son aulas con edades mixtas para la enseñanza por pares, con énfasis en las experiencias de aprendizaje experienciales llevadas al propio ritmo. El principal papel de los guías adultos es preparar adecuadamente el ambiente, con expectativas y límites que permiten a los niños hacerse cargo de su aprendizaje en vez de esperar a recibir instrucciones.

SUGATA MITRA

Sugata Mitra fue quizá quién más nos cautivó, pues conocía el poder de la tecnología y cómo podía liberar a los niños para aprender sin tener un maestro adulto frente a ellos impartiendo el conocimiento. Él le confiaba a los niños grandes preguntas y sabía que su curiosidad tomaría las riendas. También sabía que los niños podían gestionarse y liderarse unos a otros.

Jeff había conocido al Dr. Mitra en una reunión de la Fundación John Templeton en honor a los innovadores filantrópicos. Aunque tiene un doctorado en física, el Dr. Mitra es más reconocido por sus innovaciones en el campo de la cognición y la tecnología educativa.

Sus historias sobre niños en los arrabales de Calcuta que aprendían sin supervisión de los adultos eran sorprendentes, y tuvieron mucho sentido para nosotros. Él simplemente puso un kiosko de computadoras en una aldea y dejó que los niños jugaran con ella libremente. Tenía cámaras, así que podía ver lo que sucedía.

A las pocas horas, los niños habían descubierto cómo usar la computadora y habían "hackeado" el sitio web de Disney, incluso después de ser bloqueado. Después de unas semanas, estos niños se empujaban para usar la computadora. Fue caótico hasta que una niña de doce años se hizo cargo y organizó al grupo. Pronto, estaban aprendiendo de todo, desde replicación del ADN hasta inglés—sin adultos a cargo.

El Dr. Mitra acuñó el término "educación mínimamente invasiva" y continua haciendo estos experimentos hoy en día.

"Educación mínimamente invasiva—eso es lo que quiero para nuestros hijos," le dije a Jeff, "para que puedan ser libres y felices con sus descubrimientos mientras trabajan en cosas que les interesan.

"Y quiero que seamos lo suficientemente valientes para dejarlos llegar al caos hasta que uno de los otros niños tome las riendas. Quiero ser tan fuerte como Sugata Mitra."

Sabía que me faltaba mucho para lograrlo.

SAL KHAN

Sal Khan se convirtió en uno de los primeros mentores cuando formábamos Acton Academy. Lo conocimos en una conferencia sobre educación cuando Khan era noticia debido a sus vídeos educativos gratuitos en línea donde enseñaba conceptos de matemáticas (llamados Khan Academy). Creamos lazos rápidamente debido a nuestra creencia compartida que, si se les dan las herramientas adecuadas, los niños podrían llevar a cabo su propia educación. Poco después de esta reunión, los tres intercambiamos ideas por teléfono. Al terminar la llamada, Jeff resumió perfectamente la información disponible sobre evaluación en línea: "Nunca en la historia ha habido más información disponible para que los padres vean cómo les va a sus hijos en matemáticas. Me da mucho gusto no ser maestro de matemáticas, con Khal Academy dominando."

SAM, CHARLIE, AND TAITE SANDEFER

Sabíamos que eran nuestros hijos quienes más nos enseñarían sobre el aprendizaje. Ya lo habían hecho conforme los veíamos aprender a hablar, caminar, leer, escribir, construir, vender, crear, persuadir, y planear, todo sin tener un experto enseñándolos. Ellos serían quienes nos darían retroalimentación—más rápida y honestamente que cualquier otra persona en el universo. Y serían nuestros conejillos de indias conforme probábamos nuestros proyectos, agendas y programas.

Aumentando el ancho de banda: tecnología y aprendizaje

Nos encontramos en un tiempo propicio en la historia de la educación para un trabajo como este. La tecnología había cambiado todo. La ola de aprendizaje en línea estaba ganando tal impulso que sentía como si un tsunami golpeara el antiguo bastión de la tradición. Aunque la ola había estado creciendo lentamente durante décadas, para finales del 2009, millones de estudiantes estadounidenses de nivel básico a medio superior estaban involucrados en un tipo de aprendizaje en línea. La tecnología estaba liberando el acceso al aprendizaje y disminuyendo el costo de impartirlo.

También vimos el impacto en casa con nuestros hijos.

Estaban utilizando juegos en línea para aprender todo desde matemáticas hasta emprendimiento e ingeniería civil. La tecnología estaba haciendo de mis hijos aprendices independientes—con muy poca necesidad de que yo los guiara. Parecía natural e intuitivo para ellos. Esto hablaba fuerte de la oportunidad que esperaba a todos los métodos educativos.

Pero aún había miedo y escepticismo entre los padres, como siempre pasa cuando entra una nueva tecnología a nuestras vidas.

Incluso Wilbur y Orville Wright se enfrentaron a críticas cuando hicieron bicicletas más fácilmente disponibles para los niños. ¿No llevarían esas bicicletas a los niños muy lejos de casa, a lugares donde acecha el peligro?

Sabíamos que enfrentaríamos estas preocupaciones al proveer computadoras y acceso a internet para todos los estudiantes; pero la calidad de los programas educativos en línea y el número de usuarios crecía exponencialmente. No había marcha atrás. Era momento de adoptar el internet

por todo lo que ofrece. Y vimos que tenía mucho que ofrecer.

También vimos los riesgos y problemas que necesitaríamos resolver. Sabíamos que los niños utilizarían las computadoras solo para la cuarta parte de su trabajo, pero ¿podríamos liberar a los padres del miedo que los niños estarían pegados a una pantalla todo el día? ¿Qué controles podríamos instalar para que no apareciera material inapropiado? ¿Podría la enseñanza por internet reemplazar a los maestros de la vida real? ¿Cómo podríamos evaluar la calidad en contenido y ejecución?

Teníamos muchas preguntas, pero estábamos listos para hacer pruebas y experimentar hasta que encontráramos los mejores programas en línea disponibles para niños. Este era un tsunami que íbamos a montar.

Recuerdo el día en que Jeff llegó a casa y me dijo "ya no más" educación tradicional y me pregunto que habría pasado si tuviera una bola de cristal. Si hubiera podido ver los retos que seguirían, ¿hubiera dicho que sí a este periplo? Ese día, la decisión era clara y simple. Por supuesto que crearíamos nuestra propia escuela para nuestros hijos.

No tenía idea en lo que me estaba metiendo.

Capítulo 3

CONVIRTIÉNDOSE EN REALIDAD—*Primero una Feria, Luego una Escuela*

"No hay otra escuela en la faz de la tierra a donde quisiéramos enviar a nuestra hija. Es realmente afortunado, y les debemos todo a ti y a Jeff."

—JAMIE JONES Y ALEJANDRA FERNANDEZ,
PADRES DE FAMILIA DE ACTON ACADEMY

La Feria de Negocios de los Niños

Doce carpas blancas estaban alineadas en nuestro patio frontal, y cada carpa contenía una mesa de casi dos metros y dos sillas plegadizas. Era nuestra primera Feria de Negocios de los Niños, en octubre del 2007. La idea de Sam estaba volviéndose realidad. Lo que no sabíamos era que el prototipo para nuestra escuela también estaba a punto de convertirse en realidad. Esta feria era nuestra visión de cómo los niños pueden aprender, y estaba naciendo.

Nuestros jóvenes emprendedores llegaron antes del amanecer. Sam estaba vendiendo chocolate caliente, Charlie estaba vendiendo sus galletas para perro caseras, y Taite tenía sus galletas de chispas de chocolate, misteriosamente deliciosas, empacadas y listas. Los otros niños vaciaron cajas y bolsas llenas de productos caseros en sus mesas—joyería, marquetería, espadas, rocas pintadas, y camisetas pintadas a mano. Bajaron pequeñas cajas de cambio y letreros hechos por ellos mismos y manteles para completar la decoración de sus puestos—sus primeros pequeños negocios.

Con edades de cuatro a diez años, estos niños venían de escuelas públicas y privadas, junto con un par de niños educados en casa, todos de Austin, Texas. Nuestra solicitud para participar requirió que escribieran un plan de negocios, incluyendo costos de inicio, precios, y ganancias proyectadas. Más importantemente, especificaba que cada negocio estaba manejado exclusivamente por los niños—no estaba permitido que los padres ayudaran. Podrían quedarse con las ganancias también, menos un cobro de diez dólares por el puesto. Los niños firmaron un contrato que decía que si habían pedido dinero prestado a sus padres, se lo devolverían con las ganancias. Cientos de personas visitaron nuestra casa para ver la feria. Los panfletos habían funcionado. La gente estaba comprando productos, y los niños estaban negociando, calculando, sonriendo, y trabajando muy arduamente.

Para mediodía, habíamos aprendido dos cosas importantes. Primero, los niños pueden hacer mucho más de lo que imaginamos. Segundo, para los padres es muy difícil dar un paso atrás cuando existe la posibilidad que sus hijos fracasen o se sientan incómodos. Pero también sintieron el éxito cuando vieron a sus hijos tan felices.

"¡Funcionó!" dijo Sam, quien vendió todo su chocolate caliente. Charlie y Taite estaban muy ocupados contando sus ganancias para siquiera notar la emoción de Sam.

La primera feria fue la presentación de Acton Academy para el mundo. Conforme los clientes paseaban entre los puestos y hablaban con los niños, se corrió la voz que estábamos abriendo una escuela basada en los principios de esta feria. Aprendizaje de primera mano. Niños guiándose a sí mismos. Resolviendo problemas reales.

La Feria de Negocios de los Niños fue un verdadero experimento, sin ningún plan excepto que nuestros hijos tuvieran una experiencia de aprendizaje divertida y practicaran algunas habilidades emprendedoras. Nuestra estrategia inicial a la escuela fue muy similar. Juntamos ideas y estrategias hasta que encontramos las que funcionaban mejor.

Manteniéndose Raro al estilo Austin

Al mismo tiempo que lanzábamos nuestra primera Feria de Negocios de los Niños, Austin se convertía en uno de los puntos más candentes de Estados Unidos. Durante décadas fue un pueblo construido en el gobierno estatal, música en vivo y academia, todo alrededor de la Universidad de Texas. Desde los 1980s hasta el Siglo XXI, Austin atrajo industrias innovadoras, incluyendo tecnología, juegos y cinematografía. Para el 2007 estábamos rodeados de genio creativo y conversaciones sobre la disrupción en la educación con el advenimiento del aprendizaje en línea. Esto—junto con la creciente población educada en casa, opciones educativas alternativas y los altos costos de un título universitario sin garantía de empleo al final—formulaba preguntas sobre la educación tradicional.

Aún que lo que pensábamos hacer parecía una locura para algunas personas, estábamos en el lugar y momento adecuado para iniciar algo radical. "Keep Austin Weird" es el lema de la ciudad, y nos quedaba perfecto.

Ahora casi una década después, Las Ferias de Negocios de Niños Acton, al igual que Acton Academy, se han expandido a lo largo del país, particularmente en ciudades como Detroit, donde son encabezadas por madres fuertes y líderes comunitarios que quieren dar a sus hijos la oportunidad de convertirse en emprendedores. Cada una refleja los ingredientes más importantes para triunfar en Acton Academy—niños con una misión, con límites claros, gran libertad, y responsabilidad. Y una oportunidad de mostrar al mundo de lo que son capaces.

Pero no le prestamos mucha atención a la feria. Teníamos una escuela que lanzar.

Encontrando un hogar para Acton Academy

Después de seis meses de buscar una ubicación inicial, vimos un letrero de "Se Renta" en una propiedad a unos 3 kilómetros de nuestra casa. Fue amor a primera vista—una pequeña y encantadora casa con pisos de madera que se había convertido en la oficina de un arquitecto, cerca del centro.

Nuestro pequeño edificio no tenía patio, pero se podía llegar caminando a un parque. La diminuta área de estacionamiento en la parte trasera se convirtió en nuestro "campo". Podíamos pintar una cancha para Four-Square, llevar un aro de basquetbol móvil y poner una mesa de ping-pong bajo el techo.

Ahora tenía algo a lo que le podía hincar el diente. Mi intención era crear un hogar, más que una escuela. Quería que oliera bien cuando entraron por la puerta—como si estuviéramos horneando pan. Y luz cálida, no fluorescente. Quería ventanas sin persianas y plantas vivas que pudiéramos cuidar y ver crecer. Quería texturas suaves e invitantes en los cojines y alfombras. Evité los pizarrones prefabricados con caritas felices y manzanas. Quería que los niños pintaran con sus propias manos sus ideas y palabras en las paredes. Quería espacio para alimentar una sensación de intimidad y confianza. Quería que fuera un lugar que se quedara en sus mentes al terminar el día. El lugar importa.

Una tarde caminé con mi amiga Carolyn Robinson por nuestra escuela. Conforme cerraba la puerta, dijo, "¿Cómo nos inscribimos? ¡Esperábamos que Jeff y tu abrieran una escuela!" Su hijo, Cash, estaba en la escuela Montessori de Charlie. Él y Charlie se habían hecho amigos gracias a la serie de libros de Hank el Perro Vaquero. Ella y su esposo, Rhett, estaban buscando una experiencia de aprendizaje de primera mano, pequeña para Cash, ya que nuestra escuela Montessori no tenía primaria mayor. Ella nos conocía bien y confiaba que lo que construiríamos para nuestros propios hijos estaría bien para Cash.

Su confianza me llenó de humildad—y me dió una bocanada

de ánimo que me mantuvo fuerte conforme avanzaba hacia lo desconocido.

Contratando nuestra primera guía

En este punto, éramos un alegre grupo—no una escuela. Nos faltaba una pieza vital para nuestro plan—un maestro. Sabía que era crítico encontrar a la persona idónea si queríamos atraer más familias.

Aunque nuestra visión era no tener maestros, sólo guías, sabíamos que las credenciales de un maestro Montessori traería experiencia en la preparación del ambiente y la comunicación con los padres sobre la psicología de aprendizaje. Un maestro Montessori experto podría ayudarnos a construir una cultura y una comunidad. Conforme pasaba el tiempo, podríamos entrenar a esta persona en el método socrático y cambiar su título de "maestro" a "guía".

Kaylie Dienelt había sido maestra de Charlie y Cash en la escuela Montessori. Era lista, creativa, emprendedora, y conocedora. Estaba fascinada con los niños, el aprendizaje, y la psicología detrás. Había pensado en ella como la maestra perfecta para Acton Academy, pero no tenía corazón para sacarla de una escuela en la que se desenvolvía tan bien. Para nuestra suerte, acababa de notificar a la escuela que se iría. La llamé inmediatamente. "¿Cuáles son tus planes para el futuro?" le pregunté.

"Me llegaron comentarios sobre tu escuela, y estoy intrigada. Me gustaría hablar contigo sobre ello."

Cuando colgué el teléfono, sabía que había encontrado a nuestra futura maestra guía.

Reclutando otros viajeros

Teníamos nuestras creencias fundamentales, un lugar, y una guía—y solamente tres estudiantes, dos de los cuales eran nuestros propios hijos. ¿Quién se nos uniría? Puse un anuncio en una revista para padres local:

> ACTON ACADEMY. DONDE CADA
> NIÑO INICIA SU VIAJE DE HÉROES.
>
> ¿Crees que el carácter importa más que los exámenes? ¿Y que el juego libre es más importante que la tarea? ¿Ansías que tu hijo encuentre su llamado y no solo una carrera? Visítanos para conocernos.

Nuestro "open house" estaba programado de 8:00 a.m. a 5:00 p.m. durante cinco días. El primer día, estuve sola. Esperando. El reloj avanzaba. El sol cálido entraba por las ventanas e iluminaba las habitaciones. Entonces, se abrió la puerta de Acton Academy.

Conforme entró la primera pareja, extendí mi mano, probablemente con mucho entusiasmo. "¡Bienvenidos a Acton Academy!" les dije. El hombre, alto y moreno con ojos tiernos, llevaba una camisa amarilla de botones. Llevaba las mismas botas que el contratista que había construido nuestra casa. "Hola,

Laura," dijo. "Soy Divit y ella es Becca. Vimos tu anuncio y queremos saber más de tu escuela para nuestro hijo, Bodhi."

"Muchas gracias por venir," dije. "Nuestro primer día de clases será el martes 2 de septiembre. Planeamos comenzar muy pequeños y crecer lentamente. Nuestra meta es tener siete a nueve estudiantes el primer año.

"Caminen conmigo, para explicarles nuestra filosofía del aprendizaje y lo que haremos aquí cada día."

Así comenzó el primer recorrido. Tres semanas después, Bodhi era uno de los siete estudiantes inscritos en nuestro primer año. Teníamos una escuela. Ahora necesitábamos cumplir nuestras promesas.

Capítulo 4

CRUZANDO *el* UMBRAL— *Tiempo de comenzar las clases*

"Sin lugar a dudas, Chelsea y yo agradecemos cada día que tú y Jeff decidieron dedicar una gran parte de sus vidas a mejorar la educación de los niños alrededor del mundo. El desarrollo orgánico, pero con propósito de los pensamientos, vocabulario, curiosidad, confianza, empatía, alegría, amabilidad, valor, tenacidad, vulnerabilidad, habilidades resolución de problemas así como el ámbito académico de nuestra hija nos asombra diariamente."

—DAVID KING, PADRE DE FAMILIA DE ACTON ACADEMY

Eran finales de agosto del 2009, sólo faltaban unos días para el primer día de clases de Acton Academy. Estábamos sentados en nuestra sala, compartiendo una taza de café con Jamie Wheal, un experto en fisiología neural de la creatividad y atletas de alto rendimiento. Él y su esposa, Julie, educaban en casa a su hija de siete años y su hijo de nueve.

Les habíamos pedido que se nos unieran en una discusión sobre una pregunta básica: ¿Cómo coreografiar la experiencia de los primeros días en Acton para que los estudiantes obtuvieran un sentido de propósito?

"Ayúdanos para que no olvidemos nada importante," dije.

"Nunca olviden el poder de la ceremonia," dijo Jamie. "No caigan en el abismo administrativo de hacer anuncios en vez de reunir a las familias. Hagan lo opuesto. Nunca hagan un anuncio administrativo. Inspiren a los padres cada vez que los reúnan con un compromiso con los ideales y promesas de Acton Academy—excelencia, trabajo duro, amabilidad, responsabilidad y libertad. Y el hecho que cada niño tiene un genio adentro."

En ese momento, Jeff y yo prometimos que nunca nos pondríamos frente a los padres de Acton para hacer anuncios sobre el estacionamiento, la comida, calendarios, reglas o asistencia. Todo eso podría ser documentado en algo que podrían leer, o aprender de sus hijos. Nuestras reuniones escolares serían momentos de reflexión, crecimiento e inspiración. Respetaríamos su tiempo e inteligencia y el espíritu de los miembros de la comunidad de Acton Academy. Este fue el lazo con el que atamos nuestro plan de acción, y agradecimos de corazón a Jamie cuando lo encaminamos a su automóvil.

Esa noche escribí un correo a los padres de Acton:

> Queridas familias fundadoras,
>
> El martes, 2 de septiembre, a las 8 a.m. dejarán a sus hijos en la puerta trasera de Acton Academy para nuestro primer primer día de escuela. Todo lo que necesitan traer es su almuerzo y un par de bocadillos para el día. Pueden traer un libro de casa si están

leyendo uno en este momento. Aquí tendremos todo lo que necesitan—no necesitan comprar útiles escolares. Antes de este importante evento, los invitamos a nuestra Ceremonia de Familias Fundadoras el próximo Jueves, 28 de agosto, a las 10 a.m. en Acton Academy. Juntos comenzaremos la aventura de nuestra vida. Nos vemos entonces,

Me despido, emocionada

Laura

Primero, la ceremonia

Ese jueves, a las 9:45 a.m., cada nuevo estudiante de Acton y sus padres estaban en el porche de Acton Academy esperando la Ceremonia de Familias Fundadoras.

Charlie y Sam también estaban afuera. Íbamos a tratarlos no como los hijos de los dueños, sino como nuestros invitados especiales, nuestros valiosos accionistas. Queríamos que se sintieran, cuando entraran a la habitación, nerviosos, y emocionados como los nuevos estudiantes.

Nuestros hijos conocían a dos de las otras nuevas familias, ambas de su escuela Montessori. Cash Robinson, de siete años, había estado en el mismo salón que Charlie; Chris Carpenter, de seis, era compañero de Sam. La hermana mayor de Chris, Ellie, estaba atentamente de pie junto a sus padres. Con nueve años, era la mayor del grupo. Bodhi también estaba ahí; estaba dibujando las grietas de la acera con una rama que había encontrado. Y Saskia, de cinco años, era nuestra estudiante más joven. Estaba valientemente junto a sus padres. Estas eran las personas que habían llenado nuestra solicitud, pagado sus depósitos, y firmado el contrato de padres. Pero más importantemente, estos eran los primeros valientes que nos confiaban la educación de sus hijos—y confiaban en sus hijos para hacerse dueños de su propio camino. Estas eran las familias fundadoras.

. . .

Salí e invité a cada persona a entrar. Jeff y yo habíamos decidido nuestros roles para liderar la escuela al inicio de nuestra planeación. Yo sería la directora de la escuela, a cargo de las operaciones diarias, control de calidad, y trabajar con los guías, padres y estudiantes para crear una comunidad. Jeff aún era profesor de la Escuela de Negocios Acton y manejaba su firma de inversiones en energía. Él no podía estar presente en la escuela con frecuencia, pero sería el cerebro detrás de desarrollo del currículo, me aconsejaría sobre crecimiento, finanzas, y sería nuestro maestro de ceremonias en las reuniones de la comunidad.

Este era el primer lanzamiento ceremonial, y la emoción en el cuarto era palpable. Jeff tenía el don de mover una audiencia; yo estaba tan impresionada como los niños. Caminó al frente de la habitación y le pidió al grupo que se acercaran a él.

Todos guardaron silencio.

"Este día se trata de tomar una decisión. Todos decidieron estar aquí, pero ahora se debe tomar una decisión profunda y bien pensada.

"Me gustaría compartir con ustedes una historia que me compartió mi amigo Oliver DeMille.

"El año era 1764. Un estudiante llamado Thomas Jefferson acababa de ser botado por su novia, quien inmediatamente se casó con su mejor amigo. El evento fue tan devastador que veinte años después seguía escribiendo sobre este en su diario. Jefferson decidió darse por vencido en el romance y dedicarse a sus estudios.

"Ese mismo año, 1764, John Adams es un maestro. Escribe en su diario que le gusta ser maestro porque le permite escapar del frustrante mundo de los negocios y la política y le daba la oportunidad de pensar y aprender. Más tarde ese mismo año conocería y se casaría con otra pensadora y escritora, Abigail.

"Ese mismo año, James Madison tiene trece años. Es un buen estudiante, pero tan callado y tímido que sus padres se preguntan si logrará algo.

"En 1764, George Washington era un hombre de negocios. Su diario muestra que su principal prioridad ese año es pagar sus deudas, a las que les ha dado, tontamente, una garantía personal.

"Una década más tarde, este mismo grupo de personas ordinarias declararían la independencia del poder más grande en la faz de la tierra y la firmarían con sus vidas, fortunas y honor.

"Una década después, escribirían y ratificarían la Constitución de los Estados Unidos de América. Pero en 1764, eran personas ordinarias como nosotros."

Los padres escuchaban absortos, pero Jeff estaba hablando para los niños. Se habían reunido y estaban sentados a sus pies y el se había puesto en cuclillas para estar más cerca de su nivel.

"Llega un momento en que las personas ordinarias como nosotros deben decidir. Acton Academy es una decisión. Es una decisión de comenzar un Viaje de Héroes—una aventura que es divertida y emocionante pero también incluye caer, cometer errores, fracasar. Las personas en este tipo de camino son héroes no porque tienen superpoderes sino porque deciden levantarse después de caer. Y ayudan a sus compañeros de viaje a hacer lo mismo. En Acton, tendrán mentores y guías. Pero cada uno de ustedes estará a cargo de su camino.

"Observen detrás de mi. Hemos dibujado una línea en el suelo. Simboliza la decisión que estamos tomando. Donde ahora estamos simboliza el mundo ordinario. Detrás de esa línea está un nuevo territorio. Ahí es donde comienza su Viaje de Héroes. Pediremos a cada familia que se asegure que están listos para cruzar la línea hacia su nueva vida como familia fundadora de Acton Academy. ¿Están listos para tomar esa decisión?

Cuando Jeff terminó de hablar, se puso de pie y dio un paso atrás. Una a una, nombré a cada familia. Les pregunté si estaban listos para escoger este camino llamado Acton Academy. "De ser así, por favor tómense de la mano y crucen juntos la línea para entrar a terrenos inexplorados."

Conforme cada familia cruzaba al siguiente cuarto, se escuchaban aplausos. Todos estábamos comprometidos. Todos éramos Acton Academy. Para terminar la ceremonia, todos firmamos una copia de las Promesas de Acton (Apéndice A). Luego Kaylie llevó a los niños al cuarto de atrás. Mojó un pincel en pintura roja y le pidió a Chris que pasara al frente. Después de asegurarse que Chris estaba a gusto con que le pintaran la mano, Kaylie le dijo, "Encuentra un lugar donde quieras poner tu huella en la pared. Luego toma una pluma y firma tu nombre." Ella continuó con diferentes colores de pintura para cada niño. Luego los niños niños llamaron a sus padres y ellos mismos pintaron sus manos e imprimieron sus huellas en la pared y firmaron sus nombres. Cada uno de nosotros dio el sí al Viaje del Héroe de Acton; habíamos reclamado este espacio como nuestro.

¡Comenzamos!

En los primeros días de escuela se nos unió nuestra segunda guía. Anna Blabey tenía antecedentes en educación al aire libre y desarrollo de proyectos. Ella, al igual que Kaylie, había viajado por el mundo y estaba lista para aprender el método socrático y ser testigo de niños que se hacen cargo de su propio aprendizaje.

Conforme las guías esperaban a los estudiantes dentro de la escuela, yo esperaba en el estacionamiento. Esta sería mi rutina diaria—saludar a cada niño conforme llegaban. Los automóviles comenzaban a llegar. Nuestro acuerdo era que los padres se despedirían de sus hijos en el auto y permitirían que su hijo entrara solo a la escuela. Este era el lugar especial de los niños. Los adultos no eran las figuras centrales aquí—lo eran los niños. Para marcar el primer día de escuela y el nuevo camino de su vida, le entregué a cada padre una rosa amarilla y les dije, "Gracias por confiarnos a sus hijos. Nos vemos a las 3:15."

Observé a cada joven héroe caminar solo por las escaleras y entrar en Acton Academy. Estos pasos serían el primer logro de sus caminos. Estaban adentrándose en un territorio en el que ningún niño había estado antes. Lo comprendieran o no, ellos eran pioneros del aprendizaje basado en el estudiante. Sus decisiones forjarían un camino que otros seguirían.

La agenda del día estaba pegada en el refrigerador y en cada cuarto (véase la siguiente gráfica).

8:00–8:25	Tiempo libre
8:25–8:45	Inicio de la discusión matutina Reunirse en un círculo en la alfombra verde
8:45–9:00	Actividad de formación de equipo: Reunirse en el área de juegos
9:00–11:00	Tiempo para habilidades fundamentales: Lectura o matemáticas en línea—tu decisión
11:00–11:15	Limpieza y organización del trabajo
11:15–11:30	Discusión grupal: Reflexión sobre el trabajo
11:30–12:00	Almuerzo
12:00–12:15	Limpieza después del almuerzo
12:15–12:45	Tiempo libre—sin tecnología
12:45–2:45	Tiempo para proyectos: Emprendimiento
2:45–3:00	Mantenimiento del estudio
3:00–3:15	Cierre

Nota: Educación física y arte serán martes y jueves de 8:30 a.m.–10:30a.m.

Nuestra meta era que los niños tuvieran todo lo que necesitaban dentro del espacio, para que supieran qué hacer y cuándo sin necesidad que un adulto hiciera anuncios, respondiera preguntas o diera instrucciones. Maria Montessori tenía razón. Si el adulto diseña y acomoda el ambiente considerando la línea de visión de los niños, los niños pueden funcionar de manera feliz e independiente.

Para las 8:25 a.m., cada estudiante estaba sentado tranquilamente en la alfombra verde, que pronto llamarían "la alfombra de alcachofa."

Primero lo primero—dar el poder a los niños

"Bienvenidos a Acton Academy," dijo la Srita. Kaylie, utilizando el título familiar que seleccionamos para nuestros guías. "Comencemos nuestro día con un saludo. Les mostraré saludando a la Srita. Anna, y luego pueden saludarse entre ustedes."

Se volvió hacia la Srita. Anna, quién estaba sentada a su izquierda, la miró a los ojos, apretó su mano y dijo, "Buenos días Srita. Anna." Luego miró a su derecha, y ahí estaba Ellie. Ellie miró a Kaylie a los ojos, apretó su mano y dijo, "Buenos días Srita. Kaylie."

Los niños aprendieron de inmediato y tomaron las riendas. Hubo un agradable ruido de movimiento conforme el grupo de jóvenes pioneros comenzaban su primer día en Acton Academy presentándose formalmente.

Hemos realizado esta pequeña ceremonia durante ocho años.

Con un simple saludo, cada estudiante es visto, conocido, y llamado por su nombre. Y una simple ceremonia une a las personas. Hacer lo mismo a la misma hora cada día. Esto crea intimidad, el primer paso para crear un espacio para aprender.

"Parte de aprender sobre ustedes mismos es aprender cuando necesitan energía o hidratación," dijo Kaylie. "¿En qué momento necesitan más energía—en la mañana antes de comenzar a trabajar o después de jugar?" Esta discusión llevó a una sesión completa en la que los niños compartieron. Estaba claro que cada niño tenía una idea diferente de en qué momento él o ella necesitarían un bocadillo. Parecería mundano, hablar de comida durante nuestra primera discusión grupal. Pero pensándolo bien, ¿Acaso no es la comida la fuerza de unión de una tribu, y acaso hablar sobre ella no da a cada quién algo de qué hablar? Nuestra meta para este precioso primer momento fue nivelar el campo de juego en un grupo de edades mixtas con diferentes niveles de conocimientos y habilidades. Cada persona tiene una opinión sobre la comida.

"Ustedes elegirán cuándo tener recesos para comer o tomar agua. No necesitan pedir permiso. Están a cargo." No solo la discusión rompió el hielo en un momento que era estresante para todos, pero la conclusión le dio a los niños una sensación de poder y libertad. El mensaje significó mucho—confiamos en ustedes y ustedes tienen poder. No necesitan pedirnos permiso para beber agua o comer un bocadillo. Y por favor, cuando tengan que ir al baño, por favor háganlo; ya saben dónde está.

Conectando a los aprendices

Los antecedentes de Anna en educación al aire libre le dieron las habilidades para crear excelentes experiencias de trabajo en equipo. Ella diseñó los primeros días de clases para permitir que el grupo se uniera y obtuviera habilidades colaborativas y de comunicación básicas mediante juegos breves, interactivos enfocados a inspirar la risa y pequeñas crisis de frustración—dos de las experiencias de unión más poderosas de la vida.

"Síganme afuera," dijo a los niños. Conforme caminaban al estacionamiento convertido en área de juegos, vieron la lona azul de plástico que había preparado. Era lo suficientemente pequeña como para que todos tuvieran problemas para caber dentro. "Por favor pónganse de pie en la lona. Al menos un pie debe estar dentro durante mientras cantamos "Martinillo." Ninguna otra parte de su cuerpo puede tocar el suelo. Terminaron la canción. Dijo, "Ahora doblaremos la lona a la mitad y cantaremos de nuevo. Veremos qué tanto podemos doblar la lona mientras todos la tocamos con al menos un pie durante toda la canción." El grupo cayó para la cuarta vez que doblaron la lona

Luego Anna les pidió que se sentaran en círculo y les hizo preguntas. ¿Alguien pensó que sería imposible que todo el grupo cupiera en la lona más pequeña? ¿Qué lo hizo posible? ¿Cuántos de ustedes se sintieron frustrados? ¿Cambiaron estrategias? ¿Cuándo antes se han enfrentado a una tarea imposible y se han sentido frustrados? ¿Qué hicieron? Durante veinte minutos, este grupo de niños pequeños compartió sus sentimientos de frustración y éxito. Se escucharon. Se estaban convirtiendo en un grupo.

Trabajo y diversión cada día

El día continuó con otras actividades: tiempo de lectura con un libro elegido por cada persona; práctica de matemáticas con diferentes programas en línea para decidir cuál funcionaba mejor para cada niño; escribir en diarios personales; almuerzo; tiempo libre; y tiempo para proyectos con retos para crear productos para vender entre ellos, negociar, intercambiar y calcular su valor. Este fue el principio de nuestro primer proyecto emprendedor. Anna puso una tienda de útiles donde los estudiantes podían comprar lo que necesitaran para crear sus proyectos, y les dio a cada uno cinco dólares para gastar o ahorrar. Fue trabajo duro, desordenado, colaborativo, con entusiasmo y resultados tangibles. El tiempo para proyectos terminó con "mantenimiento del estudio"—tiempo para limpiar. Luego, el día terminó donde había comenzado—todos sentados formando un círculo.

Terminando el día con semillas y Sócrates

Esta vez cuando se sentaron en la alfombra verde, los estudiantes encontraron un tazón lleno de manzanas rojas, rosas, verdes y amarillas en el centro del círculo, junto con un cuchillo y una tabla para cortar. Kaylie tomó el tazón y lo puso en su regazo. Los estudiantes se sentaron con las piernas cruzadas. Ella tomó una manzana a la vez y la observó cuidadosamente. Luego le pasó la primera manzana a Bodhi, quien estaba sentado a su izquierda.

"Conforme toman la manzana," dijo Kaylie, "obsérvenla cuidadosamente. Analicen su apariencia—la cáscara, el tallo, color, textura—y luego pásenla a la persona junto a ustedes. Continúen pasándolas conforme las reciben y analizan."

Una vez que habían pasado todas las manzanas, Kaylie las devolvió al tazón y dijo, "¿todas las manzanas eran iguales?"

"De ninguna manera," dijo Bodhi.

"¿Cómo eran diferentes? Pueden llamarse entre ustedes en vez de levantar su mano para hablar. Bodhi, puedes continuar con tus ideas y luego darle la palabra a alguien más."

"Algunas tenían golpes, otras no," dijo, y luego cedió la palabra a Charlie. Se turnaron para compartir, cediéndose la palabra conforme discutían.

"Una tenía un tallo muy largo."

"Ninguna era del mismo color."

"Las formas eran muy diferentes. Algunas eran pequeñas; otras eran grandes. Algunas eran redondas, pero otras eran más ovaladas."

"Ahora, veamos cómo lucen por dentro," dijo Kaylie.

Ella tomó cada manzana y la cortó por la mitad. Luego pasó las mitades al grupo. Los estudiantes estuvieron en silencio excepto por unos cuántos "oohs" y "aahs."

"Ellie, ¿qué ves?" preguntó.

"Cada una tiene una estrella de semillas dentro. Todas son exactamente iguales por dentro."

"Las semillas del potencial," dijo Kaylie. "Es como cada uno de ustedes: muy diferentes por fuera, pero dentro, tienen una estrella. Ustedes, también, tienen semillas de potencial. ¿Las semillas se convierten automáticamente en árboles?"

"No si las tiran," dijo Cash. "Debes sembrarlas si quieres que crezcan."

"Pero no solo plantarlas, dijo Chris. "Tienes que regarlas y asegurar que reciban luz del sol."

"Estas son como sus semillas de potencial," dijo Kaylie. "Cada uno de ustedes las tiene. Llamaremos esto su genio—su potencial para la grandeza que es único para cada uno de ustedes. Pero si no cuidan las semillas del potencial dentro de ustedes y les ayudan a crecer, morirán y se perderán, igual que una manzana que es botada a la basura." Hizo una pausa para dejar que el mensaje se grabara y luego preguntó "¿Cómo podemos ayudar a que crezcan nuestras semillas de potencial? ¿Cómo podemos ser buena tierra, agua y sol para nosotros y para los demás?"

La Srita. Anna tomó un pizarrón para apuntar sus ideas:

- Leer buenos libros
- No molestar a las personas cuando están trabajando.
- Decir cosas buenas. No decir "estúpido."
- Ser curiosos.
- Trabajar duro.
- Práctica.
- Decir la verdad.

Este era el método socrático en acción—un guía haciendo preguntas y profundizando con las respuestas de los niños, todo mientras se atenían a los límites de tiempo y reglas de la discusión.

Kaylie miró el reloj y sabía que tenía que cerrar el día. "Vamos a quedarnos con esta lista y pensar más sobre cómo podemos ayudar a cada uno a que crezcan sus semillas de potencial. La próxima semana, escribiremos nuestro contrato. Esto incluirá promesas que nos hacemos unos a otros."

Kaylie explicó la importancia de mantener las promesas, de honrar el contrato, y del tipo de consecuencias que habría si se rompían esas promesas. Luego cerró la sesión por ese día.

"Gracias por un gran día de aprendizaje. Namaste. La luz dentro de mi honra la luz dentro de ustedes."

Kaylie y Anna añadieron sus toques personales al sentido ceremonial de Acton. "Namaste" fue la gentileza de Kaylie dejándose brillar.

"Namaste," dijeron los estudiantes al unísono.

No sabíamos entonces que la amable expresión hindú se convertiría en el cierre tradicional de cada día en Acton Academy. Las tradiciones estaban comenzando.

Capítulo 5

APRENDER HACIENDO—*Luchando con Rebeldes y Reyes*

"Hace unos días Nicholas se estaba preparando para la escuela y lágrimas rodaban por sus mejillas porque se había quemado con el sol y le dolía mucho. Yo estaba listo para dejarlo quedarse en casa y trabajar desde su computadora, y aplicarle aloe cada hora. Cuando se dio cuenta que ese era mi plan, dijo, '¡Espera! ¡No puedo quedarme en casa! ¡tengo trabajo que hacer!' Hace un año no hubiera imaginado que demostraría ese nivel de responsabilidad. Nunca pensé que fuera posible. Me da gusto que haya aprendido lecciones que lo llevaran hacia a la responsabilidad en sexto grado, en vez que durante su primer año en la universidad."

—ROBERT YACKTMAN, PADRE DE ACTON ACADEMY

Conforme avanzaba nuestro primer año, cada estudiante se encontraba a sí mismo en nuestro espacio. Atestigüé como una tribu de personalidades fuertes forjaba sus costumbres. De callados y tímidos a activos y ruidosos, la individualidad de cada niño se dejó ver mientras se templaba para ser combustible para todo el grupo.

Cuando alguien hablaba muy quedamente en una discusión grupal, otros le decían "No podemos oír lo que dices y queremos oírlo. ¿Puedes hablar un poco más fuerte?" Cuando un niño empujó a otro en el bebedero, otro decía, "No hacemos eso en Acton." Cuando alguien tomó más galletas que las que le correspondían durante el almuerzo, alguien siempre decía, "Eso no está bien." Y cuando alguien hacía demasiado ruido durante el tiempo de lectura, no pasaban más de unos segundos antes que viera que alguien lo redirigía a su libro.

Estos jóvenes estudiantes se apegaban a sus estándares, y los habían puesto muy altos en su Contrato de Estudiantes (ver Apéndice B). No tenían miedo de tomar su nuevo rol en la vida como administradores de su espacio y tiempo. Los niños eran amables y consistentes en su retroalimentación.

Esta se convirtió una práctica fundamental de responsabilidad entre pares. Los adultos fácilmente eran liberados de su papel de administradores o disciplinarios en el aula. Cada estudiante rompía las reglas de vez en cuando, en formas menores. Pero ninguno estaba en desacuerdo con la premisa que las reglas eran legítimas y el contrato era sagrado. Ellos fueron autores de ambos, y estaban orgullosos de su identidad como la comunidad de Acton Academy. Esta era su cultura. Este grupo de siete niños estaba trazando el camino hacia nuestro futuro al encontrar sus voces. Las palabras eran claras y dichas con amabilidad. Y eran escuchadas. Juntos, los estudiantes serían quienes llevarían la antorcha al futuro. Las raíces de una comunidad liderada por estudiantes se estaban formando.

¡Escuchen! ¡Un mensajero!

En una fresca mañana de noviembre, los niños estaban enfocados en su trabajo independiente en habilidades fundamentales. La emoción del primer año escolar se había convertido en una cómoda rutina. Los Retos de Emprendimiento fueron un gran éxito, culminando en la Segunda Feria Anual de Negocios de los Niños, que se había triplicado en tamaño. El Contrato estaba firmado y enmarcado en la pared. Los siete estudiantes fundadores eran ahora un grupo de aprendices intencionales con una misión. Había una energía relajada en la escuela.

De repente, alguien llamó a la puerta principal. La Srita. Kaylie llamó a todos los niños. Esto no era algo normal. Declaró que el rey no estaba contento con que tuviéramos nuestra escuela libre.

"Nos ha estado observando y pronto nos enviará una carta," dijo. "Creo que ese es su mensajero a la puerta." La Srita. Anna estaba afuera. Tenía puesto un sombrero con tres punta y una coleta falsa de pelo blanco. Sus pantalones estaban metidos dentro de unas botas negras y su camisa blanca estaba abotonada hasta arriba, bajo su saco azul.

"Les entrego esta proclamación de parte del Rey Jorge," anunció. "Deben obedecerla bajo órdenes del rey."

Le entregó la proclamación a Kaylie, enrollada y atada con un listón. Kaylie la abrió y la leyó en voz alta. "El Rey Jorge ha ordenado que cada persona tome todo lo que hay en su escritorio y lo apile en la esquina derecha. Desde ahora, nada más podrá ponerse en el escritorio. Todo debe estar apilado en la esquina."

Los estudiantes rieron. Esto era divertido. Era un juego y lo sabían. Corrieron a sus escritorios e hicieron lo que les ordenaron.

Durante el resto del día, cada treinta minutos, se entregaba y leía otra proclamación. Cada una era colgada en una pared sobre la chimenea.

> Deben pedir permiso para ir al baño.
>
> Los bocadillos se tomarán únicamente a las 10 a.m. y a las 2 p.m. Nadie puede escoger otro momento, y todos los bocadillos deben tomarse en la cocina.
>
> Cada persona debe formarse en la puerta y caminar juntos para el tiempo libre.
>
> Sólo está permitido trabajar en matemáticas esta mañana. No hay lectura ni escritura.
>
> Sólo pueden leer los libros en esta lista.

La diversión duró solo los primeros anuncios. Luego los estudiantes comenzaron a desesperarse. El día terminó con más de un ceño fruncido y refunfuños.

La injusticia del rey

Los estudiantes regresaron la mañana siguiente esperando comenzar lo que ellos consideraban un día normal. No lo fue. Hubo más proclamaciones, más restricciones, más alteraciones a la rutina. Para medio día, cuando se dieron cuenta que no podían avanzar mucho en su trabajo, su desesperación se convirtió en enojo y lágrimas. Sus libertades se habían esfumado. Los estaban dirigiendo, sermoneando, y monitoreando estrictamente.

"Esto no es justo," dijo Bodhi.

"No podemos trabajar con estas circunstancias," dijo Charlie, muy molesto por este cambio en las reglas.

"Merecemos poder comer cuando necesitamos e ir al baño cuando necesitamos," dijo otra voz.

"Esto ya no es Acton."

Una revuelta y un tiro de dados

Anna esperó a que hubiera silencio, luego dijo, "Si creen que una revolución contra el Rey Jorge es la única manera de volver a su aprendizaje, pueden escoger iniciar una revuelta." Hizo una pausa. "Pero hay una alta probabilidad de perder.

"Si deciden iniciar una revuelta, deben escribir una declaración formal de independencia," explicó. "Y luego deben tirar los dados. Si tiran un uno o un dos, ganan. Si cae en tres, cuatro, cinco o seis, pierden. Perder es significativo. Significa que perderán el tiempo libre y el postre durante el almuerzo durante el resto de la sesión—cuatro semanas más."

Firme y apretando los labios, la Srita. Anna desempeñó perfectamente su papel. El enojo de los estudiantes aumentaba. Los dados no tenían truco. Era una experiencia de la vida real para aprender a calcular probabilidades y evaluar el riesgo, con consecuencias reales.

Charlie tomó la batuta.

"¡Revolución!" gritó. "Comenzaré a escribir la declaración ahora!"

Y lo hizo. Todos se reunieron a su alrededor, y después de los primeros enunciados--¡No somos animales! ¡Merecemos aprender libremente sin estas terribles reglas!—cada uno agregó un enunciado o dos, y lo firmaron. Luego corrieron a la pared de proclamaciones y pegaron su declaración de independencia encima de ellas.

"¿Están seguros que quieren hacer esto?" dijo la Srita. Kaylie. "Es muy riesgoso."

"Sí, y hemos decidido que Charlie tire los dados," dijo Ellie con su voz llena de confianza.

Kaylie, Anna, y yo estábamos nerviosas. Esto podría resultar terriblemente. Si no funcionaba, habría muchas lágrimas y niños muy tristes yendo a casa. Y el resto de la sesión sería más parecido a una escuela tradicional contra la que nos habíamos revelado en primer lugar. Tuve que dejar el estudio—no podía ver el tiro de los dados. Lo que Jeff y yo habíamos imaginado como una experiencia de aprendizaje para nuestros hijos—riesgos reales con el potencial de experimentar pérdida y fracaso—ahora se sentía como una mala idea.

¿No podrían simplemente leer en un libro sobre los riesgos a los que se enfrentaban los rebeldes? Estábamos creando experiencias que los adultos no sabían como iban a terminar.

Mientras que esta es la esencia del método socrático, cuando se combina con este nivel de aprendizaje experiencial, se sintió como un golpe que me sacó el aire—a mi me gusta controlar las cosas. Estaba comenzando a entender cómo se sentía el camino emocional para un padre Acton—un camino personal fraguado con la sensación de estar fuera de control, ansioso y vulnerable. Me quedé en mi oficina y observé desde la puerta.

Las guías reunieron al grupo y le dieron el dado a Charlie.

"Recuerda, debes tirar un uno o un dos para ganar su libertad," dijo Anna.

"¡Vamos, Charlie!" dijo Cash.

Charlie agitó los dados en su mano. Los tiró. El cuarto estaba en silencio excepto por el dado que saltaba por el piso de madera. Cuando se detuvo, Anna lo vio.

"¡Dos!"

Alivio y alegría. Todos, incluidas Kaylie y Anna, gritaron de alegría. Los niños corrieron a pared de proclamaciones y comenzaron a arrancarlas con vigor. Cuando las habían arrancado todas, se miraron y dijeron, "¡Ahora podemos hacer lo que queramos!"

En cinco minutos, se habían ido a sus escritorios, a pufs, o a mesas comunes en la cocina. Nuestra escuela volvió a ser un lugar callado y pacífico. Eran libres para trabajar. Y trabajar era exactamente lo que querían. Al día siguiente tendrían tiempo para reflexionar sobre su aprendizaje y procesar la experiencia con las guías. Esto incluiría escritura y discusión sobre el conocimiento adquirido sobre historia americana, y más importante, sobre lo que significa la libertad, qué se siente perderla, y cómo esta experiencia impactaría sus vidas en el futuro.

Pero por ahora, era momento de regodearse en poder hacer el trabajo de su elección.

Reclamando nuestra identidad

Pasaron días y semanas; éramos viajeros felices a quienes cada día de aprendizaje nos guiaba al siguiente. Los estudiantes habían encontrado su paso utilizando programas de matemáticas en línea (ver Apéndice H), leían y escribían cada día, manejaban conflictos según el Contrato, pintando un mural exterior, trabajando sus cuerpos en educación física, y trabajando en su siguiente proyecto, robótica y electrónica. Nadie sentía la urgencia de desviarse de la misión o dejar de trabajar diariamente. Este grupo de niños pequeños llegaba temprano y se iba tarde. Querían estar ahí y querían aprender.

Para mediados de enero, sentíamos que faltaba algo. Conocíamos qué características valorábamos en nosotros—valor, curiosidad, amabilidad, responsabilidad y buen humor. Conocíamos nuestra misión—que cada persona encontrara su llamado y cambiara al mundo. Conocíamos lo que decía en Contrato—nuestras reglas esenciales para que crecieran nuestras semillas de potencial.

¿Pero quienes éramos? Necesitábamos una identidad, un símbolo para mostrar al mundo. "¡Una mascota!" dijo Ellie una tarde. El grupo comenzó a enlistar sus ideas para mascotas en un pizarrón. Un día a la hora del almuerzo decidieron que la lista de mascotas potenciales era lo suficientemente larga—Búhos, Águilas, Aviadores, Aces, Caballeros. Era momento de discutir las opciones y votar. Tomó todo el tiempo libre debatir las cualidades de las mascotas propuestas. Era momento de votar.

"¿Deberíamos dejar que los padres voten?" preguntó la Srita. Anna. Todos acordaron que era una buena idea. Les envié un correo a cada familia esa tarde para que pudieran discutirlo y enviarme sus votos. Esa noche llegaron los votos.

Llegué a la escuela el día siguiente con un anuncio. Era un empate entre los Búhos y las Águilas. Necesitábamos votar nuevamente. Otro correo y otra noche después, teníamos nuestra mascota.

Ahora éramos las Águilas de Acton Academy.

Dolores de crecimiento

Cuando padres e hijos se divierten con su experiencia de aprendizaje, la voz se corre rápidamente. Con cada pequeño anuncio o publicidad recibía llamadas diarias para solicitudes y recorridos. Aún sentíamos que vivíamos en un mundo idílico—nuestra dulce escuela donde se aprendía tanto cada día—y disfrutaba volar bajo el radar. Más que eso, tenía miedo de lo que crecer podría hacerle a nuestra increíble comunidad de aprendizaje.

"Jeff, ¿Y si esto sólo funciona porque tenemos tres ingredientes mágicos en este momento—dos excelentes guías, siete niños maravillosos, y un lugar perfecto? Acabo de inscribir a una nueva familia con dos niños más grandes. Tengo miedo que todo se desmorone."

Sentía miedo y egoísmo al mismo tiempo. Parte de mi no quería que nadie más supiera de nuestra pequeña escuela. Los niños estaban desenvolviéndose. Nos sentíamos más como una familia que como una escuela. Y no era la única que se sentía así. "No quiero contarles a mis amigas de esto," me dijo Carolyn un día cuando dejaba a Cash. "Quiero que sea nuestro secreto."

Pero esta momento que Acton creciera.

Capítulo 6

EL ABISMO DE LA EVALUACIÓN— *¿Cómo demostramos el aprendizaje?*

"¿Por qué estoy feliz que mis hijos estén en Acton Academy? Resumir cinco años del mejor y más inesperado regalo es como querer resumir una enciclopedia. Nuestros niños han desarrollado confianza para aprender de forma independiente, liderar con compasión, y desarrollar la capacidad de enfoque sin perder la curiosidad. Aprender a integrar el balance de la libertad y la responsabilidad tiene un impacto positivo en la escuela y en la vida familiar."

—YOLANDA KING, MADRE DE ACTON ACADEMY

Al empezar nuestro segundo año, habíamos crecido al doble de nuestro tamaño y nos habríamos triplicado para el final del año. El reporte que Heather Staker estaba escribiendo, "The Rise of K–12 Blended Learning" cuando hizo un recorrido por nuestra escuela había puesto los reflectores en Acton Academy. Ella entrevistó educadores en escuelas de costa a costa, de Kentucky a

California, Illinois a Nueva York, Kansas a Florida. Cada escuela estaba añadiendo aprendizaje digital a su currícula en forma significativa y daba a los estudiantes más libertad sobre el uso de su tiempo con herramientas digitales. El aprendizaje semipresencial era el término utilizado para la combinación de aprendizaje en línea en una escuela tradicional.

"El aprendizaje en línea parece ser una innovación disruptiva clásica con el potencial no sólo de mejorar el modelo de enseñanza," escribió Heather, "sino de transformarlo." El aprendizaje en línea había comenzado como algo pequeño, continuó, con apenas 45,000 estudiantes de educación básica tomando cursos en línea en el 2000. "Pero para el 2010", añadió, "más de 4 millones de estudiantes participaban en algún tipo de programa formal de aprendizaje en línea."

Ella le dedicó tres páginas a Acton Academy y le dedicó especial atención a "Acton Sims", la serie de simulaciones en línea que Jeff desarrolló para enseñar emprendimiento y financias para negocios cuando fundó la Escuela de Negocios Acton. Eran experiencias interactivas de vanguardia para estudiantes de posgrado en administración de negocios que estábamos utilizando con nuestros jóvenes estudiantes en Acton Academy. Lo que pareció impresionar a Heather—y lo que nos separaba de la mayoría de los esfuerzos de aprendizaje semipresencial—era el papel de los estudiantes en el aula. "Son responsables frente a sus pares," escribió, "y su estrategia basada en equipos motiva a los estudiantes a aprender sus habilidades fundamentales."

El reporte de Heather Staker puso a Acton en el mapa mundial de la educación. Por un lado, pude dar un respiro de alivio. En el 2009 nos embarcamos en una odisea sin certeza que nuestra comunidad de aprendizaje pudiera funcionar; y menos de tres años después, una experta en educación, Heather Staker, había puesto el sello de aprobación académico en nuestra aventura. El reporte había traído credibilidad y mayor interés en Acton Academy. Por otro lado, con el crecimiento supimos que el proceso debía ser más sistematizado. Necesitábamos escalar lo que estábamos haciendo para servir a un grupo más grande de niños y padres. Y necesitábamos mostrar evidencias que estaba ocurriendo un aprendizaje real.

Calificación: excelentes resultados pero no lo suficiente

Sabíamos que necesitábamos una prueba diagnóstica por dos razones. Primero, queríamos asegurarnos que no estábamos descuidando nada en términos de habilidades fundamentales—lectura, escritura y matemáticas. Segundo, los padres quieren saber cómo es que sus hijos se comparan con sus pares en todo el país.

A lo largo de los años hemos utilizado las pruebas estandarizadas Stanford 10, ERB, y Scantron, y más recientemente utilizamos la evaluación de Iowa. Todas las pruebas demostraron lo que estábamos esperando—los niños avanzaban fácilmente más de un nivel académico por año. De hecho, avanzaban en promedio 3.5 grados cada nueve meses. Incluso una de nuestras Águilas obtuvo una calificación perfecta en el PSAT.

Pero queríamos dejar de depender de pruebas estandarizadas, o de emocionarnos mucho por ellas. ¿Cómo podíamos demostrar el aprendizaje más grande y profundo que sabíamos que estaba ocurriendo, sin volver al modelo enfocado en el maestro, en el que un profesor impartía la información que debía ser memorizada y luego regurgitada en una prueba que resultaba en una calificación? En un ambiente centrado en el estudiante, ¿pueden los niños demostrar su progreso de una forma que tenga sentido para los padres y, finalmente, para los encargados de admisiones en las universidades? ¿Los padres aceptarían las pruebas del aprendizaje de sus hijos sin necesitar ver la calificación final de un maestro?

Estábamos a punto de averiguarlo.

Exhibiciones del aprendizaje: demostrando lo que han aprendido

Comenzamos pensando sobre lo que habíamos aprendido de Sam, Charlie y Taite. ¿Cómo supimos que habían aprendido a caminar? ¡Caminaron! ¿Cómo supimos que podían sumar y restar en su mente? Jugábamos el juego de cartas 21 con ellos. O íbamos de compras y los hacíamos mantenerse dentro de un presupuesto. ¿Para la escritura? Podíamos comparar las notas y cuentos que nos habían escrito a lo largo del tiempo.

Este era el tipo de pruebas que queríamos en nuestra comunidad—aplicar el aprendizaje a problemas del mundo real para demostrar lo que los niños pueden hacer. Habíamos visitado

High Tech High en San Diego y habíamos visto las exhibiciones públicas de los proyectos de los estudiantes. También habíamos visto como la Feria de Negocios de los Niños eran un prototipo perfecto para la evaluación. ¿Tuviste ganancias? ¿Puedes hacer las operaciones necesarias para dar el cambio correcto?

¿Tus clientes están satisfechos? ¿Creaste letreros y anuncios que eran legibles y tuvieran significado? ¿Qué harías diferente el próximo año?

Diseñamos Exhibiciones de Aprendizaje que tendrían lugar cada cinco o seis semanas como una oportunidad para que las Águilas demostraran lo que habían aprendido en este período. Invitábamos a los padres y amigos a asistir y participar en la evaluación del aprendizaje. Entre las exhibiciones realizadas durante nuestros primeros tres años fueron—

- Una obra de teatro escrita, promocionada, producida y presentada en un famoso escenario histórico en Austin. ¿La prueba? Los estudiantes de seis a diez años de edad hicieron una encuesta al final y pidieron a los miembros de la audiencia que compartieran si la obra los había inspirado a buscar su propio camino. Luego se sentaron al borde del escenario después de la presentación para responder preguntas sobre el proceso y su aprendizaje.
- Un café para escritores en el que los niños arreglaron el espacio, crearon un programa escrito, dieron la bienvenida a los invitados, sirvieron limonada y luego leyeron sus poemas a una audiencia compuesta por miembros de la comunidad. ¿La prueba? Las Águilas tuvieron que presentar su poema a sus pares. Luego los pares votaron. Los ganadores leyeron en voz alta. Todos los poemas fueron incluidos en una antología impresa.
- Una exhibición de arte ¿La prueba? Un autorretrato completo, barnizado y enmarcado. Las Águilas se colocaron junto a sus trabajos y explicaron lo que habían aprendido.

- Una competencia de física de máquinas simples, en la que se construiría la versión tamaño real del equipo ganador y se incorporaría al área de juegos. ¿La prueba? Los equipos debían presentar sus diseño a los padres, y luego votar por la mejor diseñada para añadirse al área de juegos del campus.

Además de demostrar a los padres lo que habían aprendido, estas exhibiciones estaban diseñadas para servir como incentivo para las Águilas. ¡Nada como una fecha límite y una audiencia para que la gente lleve a cabo su trabajo!

Pero aún no estábamos satisfechos. Las calificaciones en las pruebas y las exhibiciones no podían capturar completamente ni celebrar el trabajo y progreso que ocurría diariamente en los estudios. Había más evidencia disponible y por lo tanto se podía proveer más evidencia—el trabajo por sí mismo.

Portafolios: seleccionando trabajos de excelencia

Teníamos más datos a nuestro alcance sobre el trabajo diario de cada Águila que lo que teníamos cuando yo iba a la escuela. Las plataformas de aprendizaje en línea daban muchos detalles en reportes amigables para que los padres y los estudiantes los analizaran. En matemáticas, por ejemplo, los padres podían ver cuánto tiempo pasaba su hijo en cada problema y cuántas habilidades se habían dominado en cada tema.

Nosotros les dábamos a los padres las claves de acceso a los programas de sus hijos para que pudieran entrar y ver en cualquier momento cómo su hijo progresaba en matemáticas, gramática y lectura. Aunque menos familiar que recibir una boleta de calificaciones, los datos eran lo suficientemente detallados para cualquier padre que quisiera profundizar en ellos.

Además de los datos de su trabajo en línea, las Águilas seleccionaban los mejores ejemplos de escritura, arte y documentación de proyectos que habían elaborado a lo largo de las semanas y las incluían en un portafolio para que lo revisaran sus padres. Sentados junto al guía en una "reunión de revisión de portafolio", los padres podían hacer preguntas a sus hijos y discutir juntos sus debilidades y fortalezas. Con el tiempo, los padres serían capaces de comparar una gran cantidad de trabajos y ver las mejoras y los retos. Los padres no necesitarían depender de un maestro para decirles si su hijo estaba aprendiendo. Podían verlo y evaluarlo por sí mismos. Y sin embargo . . . no era suficiente. Claramente, nuestro modelo de aprendizaje iba más allá de "aprender a saber". La mayor parte del trabajo en los estudios podría llamarse "aprender a hacer" y "aprender a ser"—aplicar el conocimiento no sólo para completar tareas y resolver problemas sino para ser amigo, respetar a un viajero, recuperarse de un fracaso, ganar confianza, hablar en grupos con claridad, y ser responsables. ¿Cómo evalúas a una persona que está progresando en el camino de convertirse en alguien más humano?

Aprender a ser: experiencias para crecer el alma y el corazón

Habíamos visto cómo el aprendizaje experimental—notablemente en ciencia e historia—detonaba emociones, resolución de problemas, compromiso y aprendizaje en los estudiantes, pues debían imaginar ponerse en los zapatos de otras personas y tomar decisiones difíciles. Sabíamos que este sería la médula de nuestro esfuerzo para crear una currícula que ayudara a los niños a "aprender a ser."

Un ejemplo claro de esto era la manera en que crearon su propia declaración de independencia después que se les quitaran sus libertades. Ningún libro podría haber entregado el mismo aprendizaje sobre diferentes formas de gobierno, impuestos, probabilidad, defender los propios derechos y otras razones por las que las personas pelearon por su libertad.

Aunque es riesgoso dejar que los niños tengan experiencias tan retadoras, nosotros no queríamos hacer otra cosa. Incluimos mucho tiempo para reflexión y procesamiento para asegurar que estas experiencias fueran duraderas y valiosas.

Y el plan de aprendizaje de nuestro segundo año se sentía aún más riesgoso que el primero. La meta era entender qué es la discriminación, demostrar que aún existe, y ver si los niños eran capaces de tratar a sus compañeros diferente según su color de piel—en este caso, el color de los ojos. La prueba sería la experiencia misma, las discusiones grupales y la reflexión personal cuando concluyera.

Jeff había descubierto este ejercicio y sabía que era perfecto para Acton Academy. "Nuestros estudiantes pueden manejar esto," dijo Jeff. Fue difícil, le expliqué. Tenemos que asegurarnos que los padres están informados antes de proseguir. Esto causará algunas lágrimas, pero también un buen aprendizaje. "Los niños nos sorprenderán," me aseguró.

La lección vino de la famosa educadora Jane Elliott, quien

hace años sometió a su clase de tercer grado al ahora famoso programa conocido como "Ojos Azules/Ojos Café". Durante dos días, dividió a su grupo según su color de ojos. El primer día, las personas con ojos azules fueron favoritos. Tuvieron más tiempo libre, podían recibir dobles raciones durante el almuerzo, y podían usar el bebedero. Los estudiantes de ojos café debían llevar grandes collares azules para que "los estudiantes de ojos azules pudieran ver quién era desde lejos." Se les obligaba a quedarse dentro durante el tiempo libre, debían usar pequeños vasos de papel en vez del bebedero, y sólo recibían una ración durante el almuerzo. En el segundo día cambiaron los papeles, y ahora "los de ojos café eran los favoritos.

El ejercicio se le ocurrió a Elliot en 1968, después del asesinato del Dr. Martin Luther King Jr. "El asesinato de Martin Luther King no podía simplemente hablarse o explicarse,· dijo Elliot en el documental de PBS Frontline "A Class Divided". "No había otra manera de explicarle esto a los chicos de tercer grado en Riceville, Iowa. Sabía que tenía que lidiar con esto de forma concreta, no sólo discutirlo, pues habíamos hablado de racismo desde el primer día de clases".

Lo que ocurrió en el salón de clases fue impresionante. En quince minutos, los niños "favoritos" se volvieron crueles y discriminadores contra los que estaban "abajo". A las veinticuatro horas, hubo un cambio en desempeño académico basado en si los estudiantes eran los "listos" o los "tontos".

Reflexionando sobre lo que habían aprendido, los niños del salón dijeron cosas como: "Nunca seré cruel hacia otra persona debido a su color de piel." Y: "no importa cuál es el color de piel de las personas. No puedes juzgarlos por eso." Experimentar la discriminación los hizo anti-discriminación. Al reflexionar sobre la experiencia como adultos, décadas más tarde, la lección aún resonaba.

. . .

Jeff y yo admirábamos mucho el trabajo de los activistas de Derechos Civiles. Queríamos que nuestros hijos entendieran lo que se sentía ser tratados como extranjeros en su propio país. Nos llamó la atención el trabajo de Jane Elliott, y decidimos que nuestros estudiantes deberían experimentar este ejercicio también. Les ofrecería un verdadero entendimiento sobre la discriminación de forma personal y visceral. Como dijo Jane Elliott, "Leer o hablar sobre ello no enseña lo que significa realmente."

Sabíamos que estábamos tomando un riesgo. Igual que con la experiencia sobre la declaración de independencia, esto sería muy emocional. No sabíamos lo emocional que sería para la comunidad de Acton y lo que aprenderíamos.

. . .

La semana antes de comenzar el ejercicio "Ojos Azules/Ojos Café" de Jane Elliott, alertamos a los padres. Les enviamos un correo describiendo el ejercicio, junto con el vídeo del episodio de PBS Frontline. Les pedimos no hablar sobre ello con sus hijos para que la experiencia fuera tan real y cruda como fuera posible. Uno de los padres más nuevos escribió "¡Gracias por hacer esto! Me emociona que mi hija vaya a experimentar esto. Estoy segura que será duro, pero una gran lección."

Kaylie y Anna habían encontrado su ritmo como guías de Acton—creando proyectos y facilitando discusiones socráticas con facilidad. Pero esta experiencia las tenía—y a mi también—más nerviosas que con cualquier otro proyecto que hubiéramos realizado antes. Esto iba en contra de todos nuestros estándares: amabilidad, justicia, y respeto para cada Águila. Sabíamos que el éxito estaría en procesar el experimento después de que hubiera ocurrido, por lo que asignamos tiempo especial para la discusión grupal y discusiones de uno a uno si fuera necesario.

Cuando los estudiantes llegaron la mañana del experimento, Kaylie entró de lleno: "Hemos encontrado un nuevo reporte que demuestra que los niños con ojos café no pueden convertirse en héroes. No son listos ni valientes. Sólo los niños con ojos azules puedes ser héroes". Los estudiantes estaban incrédulos y por primera vez comenzaron a notar el color de ojos. "Como nuestra misión en Acton es equipar a los niños para ser héroes," explicó, "sólo podemos utilizar recursos en aquellos que tendrán éxito."

Durante el resto del día, las Águilas de ojos azules recibieron bocadillos extra del refrigerador. Necesitaban mantener su energía. También tenían botellas de agua fría en el refrigerador. Los héroes necesitan mucho ejercicio, explicó, por lo que las Águilas de ojos azules tendrían diez minutos más de tiempo libre y serían los primeros en elegir los juegos y las pelotas.

"Las Águilas de ojos café no podrán utilizar sus laptops hoy," dijo. "Sólo podrán trabajar en matemáticas a mano. Necesitamos ahorrar baterías para los estudiantes que serán héroes. Además, los de ojos café no podrán tener bocadillos especiales ni agua fría. Tengo estos listones anaranjados que ataremos a los brazos de los ojos café para saber quiénes son". El salón estaba en silencio. La energía habitual estaba ausente. La Srita. Kaylie luego dijo, "Muy bien. Es hora de trabajar. Es el momento de practicar habilidades fundamentales y saben qué hacer."

Lo que pasó a continuación fue difícil de observar. Primero, los "favoritos" se divirtieron son su estatus privilegiado. Los bocadillos eran deliciosos, y los de ojos azules aprovecharon al máximo su tiempo libre. Pero al regresar al salón dos de sus compañeros estaban llorando. Normalmente, el grupo se abalanzaba para ayudarse entre ellos. Esta vez, pasaron a su lado y se sentaron con su libro en los pufs reservados para ellos. Conforme avanzaba el reloj, se empezó a vislumbrar enojo entre las lágrimas. Charlie era uno de los de ojos café.

"¡Puedo pensar en muchos héroes con ojos café!" dijo en voz muy alta. "¡Esto no está bien! ¡Jesús también tenía ojos café, creo!" Floreciendo como un líder desde su primer día en Acton, Charlie continuó. "Alguien tome una laptop e investigue el color de ojos de los héroes!" Con sus ojos café, no podía usar la laptop por sí mismo. Pronto el grupo se reunió y comenzó a gritar el nombre de los héroes y el color de sus ojos.

Las guías estaban asombradas. ¡Las Águilas estaban retando la autoridad del estudio! Pero teníamos un plan. En vez de revertir los roles al día siguiente, decidimos terminar el experimento. Kaylie llamó al grupo. "Tienen razón," dijo. "Estábamos mal. El estudio en realidad decía que las personas con ojos café son más listas y más valientes. Así que cambiaremos los listones anaranjados. Ahora las Águilas de ojos azules deberán llevarlas e ir a sus escritorios. Los ojos azules no tendrán bocadillos esta tarde, ni tiempo libre."

Esta vez, había una sensación de diversión. Los niños se

dieron cuenta que era un juego. Pero este sentimiento no perduró cuando llegaron las galletas con chispas de chocolate y sólo los "favoritos" las comieron. Y el tiempo libre disparó un profundo sentido de injusticia. El grupo comenzó a burlarse de los otros: "¡Ha, ha! ¡Eres de ojos azules!"

Nuevamente hubo lágrimas y enojo. Esta vez, sin embargo, ambos grupos se sentían culpables de su comportamiento. Estaban distraídos, no trabajaban, y estaban peleando. Las emociones eran reales y estaban a flor de piel. Era momento de cancelar el ejercicio y comenzar a procesar lo que habían experimentado.

"Odié que se rieran de mi por tener ojos café. Esa fue la peor parte," dijo Charlie. "no fue justo y me hizo enojar."

El grupo habló de lo que significó caminar en los zapatos de alguien más. ¿Cómo se sentirá la gente diferente cuando los tratan mal o se burlan de ellos por tener un color de piel diferente? "Debe sentirse peor de lo que sentimos hoy," dijo Sam. "Debe sentirse como que quieres correr y esconderte. Incluso morir."

Yo estaba escuchando desde el otro cuarto. Este día había significado más que cualquier otro en Acton Academy. Sam Sandefer había encontrado su voz. En su vieja escuela, nunca decía una palabra durante las discusiones grupales. Uno de mis miedos era que nunca encontraría su voz. Era un alma sensible, tímido, con tendencias a la ansiedad. Además, temía que vivía a la sombra de su hermano mayor. Pero este día de emociones fuertes hizo que compartiera su voz. Sus palabras fueron poderosas. El grupo escuchó. Algo estaba funcionando. Sam estaba creciendo y compartiendo sus importantes ideas con el mundo.

Las guías llevaron esta experiencia con un nivel de compasión perfecto. Dejaron que los estudiantes lideraran, pero fomentaron la apertura y la honestidad. Estaba agradecida que mis hijos estuvieran ahí, teniendo esta experiencia única y poderosa que duraría para toda la vida. Pensé que otros padres se sentirían igual. Estaba muy equivocada. Al final del día, al ver que su hijo estaba emocionalmente exhausto, una madre exclamó, "¿No es esto abusivo?"

Mi mente viajó al trabajo original de Jane Elliott a finales de los 1960s. Aproximadamente el 20 por ciento de la reacción del público fue visceral. Una carta decía, "¡Cómo te atreves a realizar este cruel experimento con niños blancos! Los niños negros crecen acostumbrados a este comportamiento, pero los niños blancos, no hay manera que lo entiendan. Es cruel para los niños blancos y les causará mucho daño psicológico." Elliott desarrolló su ejercicio con el propósito de terminar con este tipo de comentarios racistas.

¿Qué hacer con unos padres que no están de acuerdo con la base del aprendizaje experiencial? "Les pedimos que se vayan, pues no podemos seguir dándoles el servicio," dijo Jeff, de forma clara y directa. Esto estaba muy lejos de mi zona de confort, pero podía ver que esta persona no encajaba en nuestra escuela. No sería la primera. Nos despedimos. Fue doloroso. Aprendí rápidamente que necesitaba ser más clara en las entrevistas, que el camino de aprendizaje en Acton puede ser incómodo y a veces doloroso, conforme vemos a los niños luchar por aprender. Aprendería cuán personal es el rechazo de algunos padres hacia esta forma de aprender. No eran sólo risas en nuestra adorable escuelita.

Necesitaba buenas noticias.

Evaluándonos a nosotros mismos: nuestra encuesta semanal de Familias Acton

Habíamos hecho de la transparencia uno de nuestros principales valores escolares, y las familias de Acton Academy tenían mucha práctica dándonos retroalimentación honesta de manera regular. Una de nuestras prácticas más controversiales en Acton Academy, al menos ante los ojos de algunos educadores tradicionales, era tratar a nuestras familias como clientes valiosos, a quienes nos encantaba servir. (La palabra "cliente" molesta a algunas personas de manera muy interesante, he aprendido.) Mientras que nuestra relación en Acton es, por supuesto, mucho más profunda que una transacción, nunca olvidamos que estos padres nos pagan por cumplir nuestras promesas. Necesitamos y queremos saber cómo piensan sobre lo que hacemos a su servicio para poder mejorar continuamente.

Para ello, cada fin de semana enviábamos una encuesta anónima para que nuestros padres y estudiantes evaluaran su semana en Acton. Les pedíamos que nos hicieran comentarios para mejorar. Abro los resultados cada lunes por la mañana. Luego los envío a las familias para que vean lo que los demás piensan sobre nuestro trabajo como dueños de la escuela.

Estas encuestas nos ayudan a permanecer en un estado de aprendizaje y mejora continua, al igual que los padres y los estudiantes. Hemos tomado lo que sugieren nuestros padres y Águilas y lo hemos implementado cuando encaja con nuestra misión.

Mis peticiones favoritas fueron añadir más tiempo para trabajo en habilidades fundamentales (¡niños pidiendo más tiempo para trabajar!) y la petición de un padre de poder observar discusiones socráticas para que pudieran aprender cómo tenerlas en casa (¡niños enseñando a los adultos!). Debido a nuestro compromiso con el aprendizaje liderado por los estudiantes, podemos hacer un giro repentino y hacer cambios cuando ellos tienen una buena idea que creemos vale la pena intentar.

Finalmente, ¿Acton funciona?

¿Para los niños? Según los resultados de las pruebas estandarizadas, tableros en línea, muestras de escritura, y demostraciones públicas del trabajo—sí. Las Águilas habían volado alto con su aprendizaje y eran capaces de demostrárselo al mundo. Pronto descubriríamos una de las mejores formas de evaluar el aprendizaje: las prácticas que las Águilas experimentarían cuando abriéramos secundaria y preparatoria. El que los dueños de pequeñas empresas y líderes de organizaciones sin fines de lucro nos llamaran para solicitar que les enviáramos más Águilas de Acton ha sido una de las señales más fuertes que nuestros estudiantes están aprendiendo—y que la comunidad lo reconoce.

¿Para los padres? Según los resultados de nuestra encuesta a las familias—nuevamente, sí. Hemos enviado más de 250 encuestas con la pregunta "¿Qué tan satisfechos están con su experiencia en Acton Academy esta semana? Evalúennos del 1 al 5 (1 siendo nada satisfecho y 5 siendo extremadamente satisfecho)." Hemos recibido una evaluación promedio de 4.8 desde nuestra fundación. Aunque recibimos comentarios duros de vez en cuando en nuestras encuestas, la evaluación general me dice que nuestras familias están felices en general y quieren continuar en Acton, aunque hay temporadas difíciles en el proceso de aprendizaje de cada estudiante. He aprendido que el camino de Acton no es para cualquiera, y que algunos padres deciden dejar el camino cuando éste se vuelve desgastante emocionalmente. Pero para aquellos que se quedan y participan como compañeros optimistas, la satisfacción está prácticamente garantizada.

Otra evaluación reveladora fue nuestra calificación en Net Promoter que medía si los padres recomendarían a Acton Academy a su familia y amigos. Esta calificación es una medida estándar de lealtad a una marca. Apple, por ejemplo tuvo una calificación de Net Promoter de 76 por ciento en el 2015. La calificación de Costco ese año fue de 78 por ciento. La calificación más reciente de Acton Academy fue 100 por ciento—ciertamente un raro nivel de satisfacción.

Fuera de un abismo y entrando a otro

Al inicio de nuestro tercer año, habíamos crecido más allá de la capacidad de nuestra pequeña casa y nos habíamos mudado a una localidad temporal en el campus de la Escuela Acton de Negocios junto a las orillas del Lago Lady Bird. Teníamos una lista de espera de tres años, y nuestras Águilas más grandes pronto dejarían de tener edad de primaria.

Era momento de abrir la secundaria.

Capítulo 7

¿MONSTRUOS DE SECUNDARIA?

"Si me permitieran abrir mi propia Acton, lo haría no sólo por mis propios hijos, sino porque quiero que todos los niños tengan esta oportunidad. Una vez que han atestiguado que sus hijos aman aprender, son independientes y felices, no puedes evitar querer ser parte de eso."

—DANI FOLTZ-SMITH, MADRE DE ACTON ACADEMY Y DUEÑA DE ACTON ACADEMY VENICE BEACH

Una tarde de viernes a finales de agosto del 2012, me topé con una situación que amenazaba con arruinar la apertura de nuestra secundaria, a sólo una semana. Habíamos despedido a un guía recientemente contratado. Había sido incapaz de deshacerse de sus tendencias de maestro tradicional, que incluía crear listas de lecturas requeridas y poner un gran escritorio para él al frente del salón; nuestros estudiantes no tenían escritorios. Trabajamos con él durante meses antes de abrir, pero el método socrático de no responder preguntas resultaba ser un problema para él. El pensaba que debíamos dar la respuesta correcta a los estudiantes en vez de esperar a que la encontraran por sí mismos. La gota que derramó el vaso fue cuando nos contó cómo había manejado un desacuerdo con un estudiante de secundaria utilizando intimidación—una actitud que iba en contra de todo en lo que creíamos, sin importar lo difícil que dijo que eran el ambiente en la escuela y el estudiante.

Entendimos; dar a los niños la oportunidad de tomar sus propias decisiones y aceptar las consecuencias no era natural para la mayoría de los adultos. Pero sin él, estábamos en un atolladero. Jeff y yo nos devanábamos los sesos para encontrar un reemplazo, con la presión aumentando a cada hora que pasaba.

"He tenido una epifanía," dije.

"¿Qué?"

"Tú."

"¿Yo qué?"

"Tu serás el guía principal de la secundaria," le dije. "¡Qué suerte para los padres y nuestras Águilas el tenerte como su guía! ¡Eres uno de los mejores en el país!"

Jeff era un estudioso dedicado del método socrático, y desde hace un tiempo estaba disminuyendo su carga en la Escuela de Negocios Acton para que otros emprendedores tomaran las riendas.

"Este podría ser tu siguiente llamado," dije. "Guía de escuela secundaria."

Silencio. Se emocionó.

"Lo haré," dijo en un tono que sonaba lleno de confianza.

Jeff pasó esa noche arrepintiéndose de su respuesta. Seguro, sabía como liderar un grupo élite de estudiantes de maestría en una discusión socrática sobre emprendimiento; ¿pero como podría traducirlo a estudiantes de secundaria con lectura, escritura, matemáticas y ciencia? Y, ¿acaso los maestros tradicionales no evitaban la secundaria, pues se trataba de una etapa complicada para todos? En el ambiente educativo, como me dijo el director de una escuela, los niños de secundaria eran conocido como "monstruos" con razón.

Y si fracasaba sería especialmente doloroso, porque sus propios hijos estarían en el estudio.

La mañana siguiente, Jeff dijo que estaba en paz: "Entro con todo."

. . .

Los adolescentes eran una población completamente nueva para nosotros, y tenía muchas preguntas sobre cómo funcionaría el autogobierno con personas socialmente inseguras y más preocupadas por cubrirse las espaldas que por hacerse mutuamente responsables de alcanzar la excelencia. La narrativa del Viaje del Héroe funcionaba muy bien con niños pequeños y adultos; pero no tenía idea de cómo la tomarían los adolescentes en proceso de maduración. ¿Lo considerarían trillado?

No sólo eso, el "estudio" de secundaria, nuestro término para el aula, debía verse y sentirse diferente al estudio de primaria. Debía sentirse "mayor". Pero el diseño debía cumplir el mismo propósito: jóvenes autogobernados, regidos por un contrato y trabajando con metas específicas.

En una nota más trivial, tuve que mejorar el rito de paso a secundaria de la competencia—la emoción de tener un casillero. Parecía que este era un símbolo de nueva independencia. Todas las secundarias públicas tenían un casillero, y los jóvenes adolescentes de la ciudad estaban entusiasmados con la idea de decorarlos. Nosotros, sin embargo, no tendríamos casilleros. La secundaria de Acton Academy se parecería más a las oficinas de una compañía de tecnología, con mesas largas y sillas con ruedas. Si tan sólo hubiera sabido que las sillas con ruedas se convertirían en carritos chocones. Una mala idea de diseño de mi parte.

. . .

En el primer día, nuestra banda de catorce Águilas de secundaria caminaron por un largo camino flanqueado con fotografías de sus héroes más grandes. Jack, Pace, Charlie, Jasper, Crayton, Coby, James, Kenzie, Hayes, Ellie, Sarah, Ana, Claire, y Mason eran nuestras Águilas fundadoras de secundaria.

Su estudio estaba al lado del estudio de primaria, donde los niños más pequeños jugaban y se divertían libremente. Los estudiantes mayores se veían tímidos y esperanzados, deteniéndose para examinar cada fotografía, como si quisieran aplazar su entrada al estudio un minuto más.

Durante el verano, le habíamos pedido a cada nueva Águila de secundaria que le enviaran a Jeff el nombre de su héroe personal y una cita de por qué admiraban a esa persona. Compramos cartulinas blancas y creamos un Tablero de Héroe para cada nueva Águila. Sus nombres estaban escritos en la parte superior, y las fotografías de los héroes estaban rodeadas de las citas personales de cada Águila. Los tableros estaban atados a estacas y plantados en el suelo para bordear el camino del estacionamiento hasta la puerta de su nuevo estudio.

Los Tableros de Héroes se convertirían en una tradición para celebrar los dones y sueños de cada nueva Águila, proveyendo una identidad y un lugar para aquellos que se sintieran inseguros sobre su nueva comunidad. También servirían como una fuente de curiosidad y preguntas para comenzar a crear lazos entre cada nueva Águila y la tribu.

Comenzamos la primera mañana tal como habíamos comenzado en la escuela primaria—con un lanzamiento socrático, nuestro término para una discusión sobre un tema que delinea el aprendizaje de ese día. Esto ocurrió precisamente a las 8:30 a.m.

"¿Por qué estamos aquí?" preguntó Jeff. "¿Qué es más importante para ustedes—tener más libertades, descubrir un don especial, o cambiar el mundo de manera profunda?"

La siguiente etapa de nuestro camino había comenzado.

. . .

Durante las primeras semanas, las Águilas de secundaria se concentraron en las habilidades fundamentales—lectura, escritura, matemáticas—y en construir la tribu. Jeff organizaba ejercicios para fortalecer equipos, incluyendo un curso de cuerdas fuera del campus, y tomó actividades de la currícula del Acton MBA diseñadas para que comenzaran a aprender más sobre sí mismos.

Muchos educadores asumen que los adolescentes van a la escuela para aprender y prepararse para la vida. Nosotros aprendimos rápidamente que la mayoría de los jóvenes sólo quieren estar con sus amigos. Así que nuestra meta fue hacer divertido el ser parte de la tribu Acton y que las primeras semanas se sintieran como el inicio de una aventura. Una vez que las Águilas quisieran pertenecer a la tribu y estuvieran listos para comenzar un camino juntos, los guías podrían hacer el trabajo duro un requisito para quedarse. El ethos era, simplemente, trabajar duro para ganar libertades y divertirse mucho en el proceso.

Su agenda diaria era similar a la de primaria en su diseño. Las mañanas estaban dedicadas al trabajo tranquilo en habilidades fundamentales. Las tardes eran para trabajar en proyectos colaborativos. En medio, había discusiones socráticas sobre historia, talleres de escritura, y tiempo libre.

"¿Cómo pueden enseñar historia mediante discusiones socráticas dirigidas por niños?", preguntó un observador que nos visitaba de una secundaria local.

Jeff respondió, "De hecho, las discusiones lideradas por estudiantes son el secreto para aprender historia. La clave es el dilema moral. Ponemos a una persona joven en los zapatos de un héroe histórico enfrentándose a una decisión difícil con un problema moral importante. Aún mejor, el mismo dilema moral aqueja a los líderes de hoy y (de forma independiente) es importante para la persona en su propia vida."

El visitante parecía ansioso por escuchar más, por lo que Jeff continuó. "El asunto es este: No estamos enseñando historia. Estamos dando herramientas a los jóvenes para que tomen mejores decisiones morales; y para hacerlo, necesitan ahondar en lo que ha ocurrido en el pasado. La motivación hace toda la diferencia, al igual que la meta de 'aprender a hacer' algo—tomar mejores decisiones morales—en vez de 'aprender historia muerta'. Cuando tenemos las preguntas correctas, los jóvenes invertirán horas en la investigación—y con un poco de preparación, tendrán un debate auto-organizado de alta energía sobre lo que es importante en la vida."

Desde el principio, las Águilas de secundaria nos

sorprendieron. Mientras que no era una utopía, este grupo casi siempre trabajaba y jugaba como adultos altamente funcionales.

"Me estoy dando cuenta que los estudiantes de secundaria no son monstruos," dijo Jeff. "Pueden ser personas muy creativas y responsables—y una compañía tan divertida que los MBAs ambiciosos de Harvard o Acton."

Probando los límites

Sabíamos que las pruebas estandarizadas tienen poca correlación con los logros a lo largo de la vida, pero proveen puntos de referencia para mejorar. Al administrar pruebas al inicio y al final de cada año, teníamos una medida de la mejora que cuantifica el crecimiento real de nuestros estudiantes, crecimiento que vemos cada día, incluyendo en sus proyectos y exhibiciones.

Este tipo de pruebas se alejaría de la rutina de Acton y de nuestra estrategia de aprendizaje típica. Por lo tanto, no fue una sorpresa que la primera vez que administramos la prueba a los estudiantes de secundaria, inmediatamente revertieron a las expectativas de un sistema centrado en adultos, liderado por un maestro. No vimos esta reacción en el grupo de Águilas más jóvenes, quienes tomar la prueba casi como una actividad divertida. No hubo preparación ni enseñanza para tomar la prueba. Simplemente enviamos un correo electrónico a los padres y les explicamos lo que planeábamos hacer. Pero las Águilas mayores súbitamente comenzaron a actuar como estudiantes con un maestro en el salón; comenzaron a hacer muchas preguntas y parecían desvalidos hasta que el maestro les dio las respuestas.

"¿Dónde puedo encontrar un lápiz?"

"¿Esta bien borrar una respuesta incorrecta?"

"¿Puedo usar un block de notas?"

Las instrucciones de la prueba eran claras como el agua. Momentos antes, estos jóvenes héroes habían vencido problemas matemáticos, dirigido discusiones socráticas, organizado tareas de intendencia, y escrito documentos de autogobernancia; pero se infantilizaron ante el proceso de evaluación, pidiendo las indicaciones más minuciosas.

El tiempo libre después de la prueba fue una explosión de energía almacenada, pues el caos se apoderó del estudio. El comportamiento de los estudiantes comenzó a salirse de control. Uno de los estudiantes de secundaria se acercó a Jeff. "¿Podrías por favor hacer algo?"

"Es su estudio, no el mío," dijo Jeff. "¿Qué harás tú?

El estudiante titubeó, por lo que Jeff refraseó la pregunta, ofreciendo una opción: "¿Deberías actuar solo o ver si hay otros líderes que quieran unírsete?"

El Águila entendió el mensaje y rápidamente llamó a una asamblea de emergencia de los líderes del estudio. Todos se acercaron. Él reiteró las promesas verbales que cada uno había hecho y apeló a las Águilas más disruptivas a que mantuvieran su palabra. El orden fue restaurado—al menos por el momento.

"Primero, hacen que sea divertido ser parte de esto. Luego dejan a la tribu poner sus propios estándares," Jeff dijo a los otros guías más tarde. "Tienen que poner un espejo frente al grupo o algunos individuos no cumplirán su promesa."

Jeff encontró que la clave estaba en experimentar con diferentes combinaciones de incentivos y límites, individuales y grupales, cada uno anunciado con anterioridad; su intención era evitar disparar la sensación de injusticia adolescente que surgía rápidamente cuando los estudiantes recibían órdenes de un adulto—especialmente sin una buena razón.

"Si ellos están a cargo y toman las decisiones, estarán motivados para retarse a sí mismos y a los demás," me dijo Jeff. "Pueden aprender a velocidad luz. Pero si ven que los adultos toman el control y se hacen cargo de las cosas, vuelven al modo de no hacer nada. Es un balance muy delicado."

Los resultados de la primera prueba fueron sorprendentes. Aproximadamente la mitad del grupo estaban el 10 por ciento más bajo—impresionantemente bajos en habilidades de lectura y escritura. La otra mitad estaba cerca del 1 por ciento. Parecía que habíamos atraído a aquellos aburridos con la escuela tradicional o a aquellos que estaban fracasando espectacularmente—con pocos, si acaso, en medio.

. . .

No mucho después, la secundaria tenía un ritmo de práctica de habilidades fundamentales simples. Estaban registrando las habilidades matemáticas aprendidas en Khan Academy, las páginas leídas diariamente de su libro favorito, retos de escritura compartidos con crítica de pares, y discusiones socráticas sobre parte aguas importantes en la civilización.

El primer proyecto activo de los estudiantes de secundaria se enfocó en construir una mini civilización—la propia—durante las primeras semanas del año. Desarrollaron lineamientos para el estudio, incluyendo reglas para entablar discusiones tales como

"Escuchar", "Ser breve," y "Proveer evidencia." Crearon un proceso para limpiar y organizar el estudio y pusieron "campeones" a cargo de revisar el trabajo para asegurar que el espacio era dejado en orden cada día. Se fueron conociendo y escuchaban diariamente historias sobre el viaje de héroes. Al igual que en el estudio de primaria, integramos educación física y artes creativas para complementar su trabajo y crear oportunidad de crecimiento personal.

Al terminar cinco semanas juntos, estaban listos para escribir el Contrato del estudio. Tenían el documento de primaria como estándar, y era un estándar alto. El documento sería la autoridad en el estudio. Definiría los límites de comportamiento, características de personalidad, y actitudes.

Como guía socrático, Jeff mantenía un estricto código de conducta—prometiendo nunca responder a una pregunta, sin importar cuán práctico o necesario. Mantener la promesa fue difícil, especialmente cuando el estudio estaba desordenado, lo que ocurría con mayor frecuencia con los estudiantes mayores que con los más pequeños. La entropía es fuerte, y la intención de las Águilas de secundaria de trabajar arduamente fallaba constantemente. El tiempo de limpieza por la tarde resultaba en un estudio cada vez menos impecable. La colaboración durante el trabajo de habilidades fundamentales rutinariamente devenía en perder el tiempo con los amigos.

Jeff sentía que sus manos estaban atadas. Decidió pedir que un pequeño grupo de Águilas de secundaria fueran voluntarios para una misión de observación en la escuela primaria para tratar de entender por qué su cultura continuamente estaba en caos mientras que la de primaria se mantenía en orden. ¿Por qué era más difícil para ellos establecer los mismos hábitos de trabajo que mostraban los estudiantes de primaria?

Regresaban al estudio con ideas, y cada nuevo intento inyectaba energía durante un día o dos, pero el compromiso pronto se desvanecía. Momentos dignos de "El Señor de las Moscas" surgían cada semana.

Guardia de centro comercial

Charlie no tenía miedo de confrontar a la autoridad, ni de retar a sus compañeros cuando pensaba que no estaban a la altura. Se enlistó en una misión para mantener altos los estándares de la secundaria.

"Eso les va a costar un Aguidólar a cada uno de ustedes," le dijo a dos de las Águilas que estaban manteniendo su propia conversación durante la discusión socrática. Jeff había introducido el término "Aguidólares" al estudio como un incentivo para que los estudiantes trabajaran duro y se hicieran responsables. Podían ganar Aguidólares por cumplir metas y luego gastar sus ganancias en premios como bocadillos o comprar más tiempo libre. Un Águila podía perder Aguidólares por romper las reglas. Pero las Águilas debían imponer las multas, no los guías. Había un banco y un compromiso para que los estudiantes administraran la distribución y recolección de Aguidólares; esto quitó la impartición de "disciplina" de las manos de los adultos y la puso en manos de los jóvenes como una manera de autodirigirse—si todos participaban del sistema.

Más tarde ese día, Charlie pasó junto a un grupo de escritorios, y vio a un Águila jugando videojuegos en vez de trabajar.

"Eso cuesta un Aguidólar," dijo, mientras que el ofensor cerraba su laptop de golpe. "Deja de ser un guardia de centro comercial," dijo una de las Águilas. Charlie aún no había aprendido que el liderazgo es un balance entre ser duro y amable. Tenía bien afianzada la parte dura, y no tenía problemas llamando la atención de sus compañeros cada vez que causaban distracciones. Según él, estaba diciendo las cosas tal como las veía. Pero eso no les parecía a las demás Águilas. El mote de "guardia de centro comercial" estaba para quedarse.

Jeff lo ayudaba, pidiéndole que permitiera a otros ser la voz de la responsabilidad y ayudando con el liderazgo amable. Nos tomaría tres años ver cómo Charlie se convertía de guardia de centro comercial a un verdadero líder.

Intervención primaria

La tribu de secundaria estaba estableciendo sus propios estándares. Pero estos estándares no eran buenos, ni eran aplicados lo suficientemente fuerte para las Águilas originales y las más jóvenes. Se estaba gestando una rebelión en la escuela primeria, liderada por nuestro hijo Sam, quien había encontrado una voz fuerte y estable y se preocupaba profundamente por los estándares de excelencia en Acton Academy. Bodhi, Chris, y Saskia, quienes estaban en primaria, también se preocupaban; habían visto a Charlie, Ellie, y Cash pasar a secundaria.

"Los de secundaria están arruinando Acton," dijo unas semanas después de iniciada la nueva sesión. "No trabajan duro, nos distraen todo el tiempo, y no siguen el Contrato."

Sam nos informó en la mesa que las Águilas de primaria habían firmado una petición solicitando a las Águilas de secundaria que se fueran.

"Hemos electo un embajador y una comisión para entregar la petición," dijo. "¿Podemos hacerlo mañana?"

Sam hablaba con una seriedad que nunca habíamos visto. Era muy protector de Acton Academy y su cultura de aprendizaje y excelencia. Estaba convirtiéndose en un líder considerado y persuasivo con una voz suave pero fuerte.

Charlie le contestó: "Sam, yo puedo manejarlo."

"Bueno, ¿entonces por qué no lo has hecho?" preguntó Sam.

Al día siguiente, un grupo de Águilas de primaria se acercaron a la secundaria con la petición. Habían recolectado evidencia durante varias semanas para demostrar que los estándares de la secundaria eran muy bajos para Acton Academy. Que estaban desvirtuando el nombre de Acton, que las Águilas jóvenes tenían en muy alta estima. El estudio de las Águilas mayores era un muladar comparada con el estudio de las Águilas jóvenes. Había libros de la biblioteca tirados en el suelo. El microondas tenía comida pegada en las paredes, y despedía un olor desagradable. El carro de útiles escolares era un desastre—lápices y plumas rotas y metidas abajo de la charola de hojas en blanco. Peor que la apariencia del estudio era el nivel de ruido durante las horas de trabajo. Las paredes del estudio eran delgadas, y las Águilas más jóvenes no podían concentrarse en su trabajo debido a los malos hábitos de trabajo de las Águilas mayores.

Este fue un duro despertar para la tribu de secundaria. Jeff dirigió la discusión con el grupo. "Bueno, ya leyeron la petición de la primaria, alegando que han dañado sus derechos de propiedad por ser malos vecinos. En el mundo real, se estarían enfrentando a bancarrota de Capítulo 7 o Capítulo 11," explicó.

Catorce pares de ojos se agrandaron. Fuera lo que fuera la bancarrota, no sonaba bien. "¿Por qué no se toman media hora para investigar lo que significaría la bancarrota para la escuela secundaria?"

El grupo se reunió media hora más tarde, y Jeff les preguntó, "Entonces, cuál es la diferencia entre la bancarrota de Capítulo 7 y la de Capítulo 11?"

Ellie dijo; "Bancarrota de Capítulo 7 trata sobre liquidación, lo que creo que significa que la secundaria desaparecería y Capítulo 11 significa reorganización. Creo que eso significa comenzar de nuevo."

"En este caso, declararíamos bancarrota de Capítulo 11, porque hay algo que vale la pena salvar," dijo Jeff. Todos en la sala se relajaron, hasta que añadió, "Esto significa que tres Águilas de primaria serán designados supervisores, para asegurar que el estudio funcione adecuadamente mientras reorganizamos."

Problema resuelto. La idea de ser liderados por niños de siete y ocho años fue suficiente para empujar a los chicos de secundaria a los altos niveles de responsabilidad personal para hacerse cargo del estudio.

Las Águilas de primaria dieron en el blanco y su insurrección fue un parte aguas. Estaba aprendiendo que a veces son los más jóvenes los que dicen la verdad y hacen un cambio.

Resistiendo la tendencia

"Ser testigo del caos es difícil para mí," me dijo Jeff una noche después de un día particularmente difícil. "Me desanima cuando el estudio se convierte en un lugar desordenado y cruel. Hay días en los que quiero rendirme."

Era momento de añadir claridad y estructura, algunos riesgos y recompensas. Jeff diseñó e introdujo un burdo sistema económico basado en fichas de póquer. "Siempre estoy organizado juegos e invitando a los estudiantes a jugar, dijo. "Si no funcionan, diseño uno nuevo.

Jeff organizó a las Águilas en escuadrones de tres personas. Cada Águila recibía tres fichas por semana. Cada infracción a las reglas del estudio sobre "escuchar" y "respetar" resultaban en la pérdida de una ficha. Si no estaban todos en su lugar al momento de la discusión inicial a las 8:30 a.m., o el estudio no estaba impecable a las 3:00 p.m., hora de cerrar, todos perdían una ficha. Si cada miembro del escuadrón tenía una ficha el viernes, todo el escuadrón recibía un premio. Los miembros del escuadrón podrían prestarse fichas, pero sólo si el préstamo tenía consecuencias.

El juego con fichas de póquer resultó en que las Águilas entendieron mejor el poder de los Aguidólares. Nunca habían practicado cómo usarlos, y como con cualquier sistema nuevo, había una curva de aprendizaje. Había días en que los Aguidólares causaban conflictos personales entre los estudiantes y otros en los que trabajaban como magia para mantener al grupo trabajando duro y respetando los límites. Conforme pasaba el tiempo, decidieron que el sistema, aunque imperfecto, era preferible a tener que volver a tener adultos dando las órdenes.

Sam vino a casa un día y decidió que sería una buena idea que el estudio de primaria tuviera también Aguidólares. "¡Buena idea, Sam!" ¿Por qué no piensas en cómo implementarlo y lo presentas al grupo en nuestra próxima asamblea?" le dije, feliz de ver como quería ayudar a que las Águilas jóvenes fueran más autogobernadas.

Las asambleas se convirtieron en parte de la estructura semanal de Acton durante nuestro primer año. En los primeros días, Kaylie o Anna lideraban y manejaban una discusión sobre temas concernientes al estudio—desde personas que se distraían entre ellos hasta como celebrar el final de una sesión. Para el cuarto año, las Águilas habían tomado el control de la facilitación de estas asambleas semanales. Discusiones organizadas, disciplinadas e importantes era dirigidas por un Águila, quien encabezaba la asamblea. La agenda era creada por las Águilas mediante un sistema en el que completaban un formato, especificando ya fuera un anuncio que debía leerse en voz alta o un problema que debía resolverse durante la asamblea. Los formatos eran recolectados en una caja, y antes del inicio de la asamblea, la persona que encabezaba la asamblea las recogía y organizaba la agenda. Durante mis años en Acton, estas asambleas demostraron una y otra vez que los niños pueden hacer más de lo que imaginamos o permitimos. Pueden decidir lo que es justo en la repartición de recursos escasos, tal como pelotas o espacios verdes. Pueden evaluar opiniones sobre cómo resolver una falla en la distribución del estudio. Pueden estar en desacuerdo de forma respetuosa, y pueden delegar responsabilidades de acuerdo a habilidades y experiencia. Son capaces de liderar asambleas eficientes y efectivas. Y funcionan mucho mejor cuando los adultos se quedan callados y entregan el liderazgo de forma auténtica.

"Diseño del aprendizaje"—del caos al orden.

A pesar de los retos culturales, las Águilas de secundaria estaban aprendiendo tanto y tan rápidamente como las Águilas más jóvenes. Igual que en la primaria, se invitaba a los estudiantes a leer cualquier cosa que encontraran divertida. Habíamos destinado tiempo específicamente dedicado para leer y para discutir los libros que le recomendarían a un amigo. Al poco tiempo todas las Águilas estaban leyendo—y mucho. El primero año, el chico de secundaria promedio devoró dieciséis libros; incluso los lectores menos involucrados leyeron siete. En algún momento, Democracia en América, 1984, Rebelión en la Granja, Madame Bovary, El Guardián entre el Centeno, Las Cartas del Diablo a su Sobrino y Ana Karenina estaban desperdigados por el estudio.

Las Águilas de secundaria practicaron escritura creativa y en diarios, compartiendo y dando retroalimentación frecuentemente. Entonces había solamente programas en línea de gramática muy rudimentarios y muy pocos programas de escritura basados en juegos, por lo que utilizamos pequeños talleres para apoyo en la edición. Pronto aprendimos que entre más compartían las Águilas, más querían escribir, y entre más escribían, más se interesaban en utilizar diferentes herramientas para mejorar.

Jeff introdujo un taller de escritura clásico que tiene un flujo predecible:

- Generación de las ideas
- Borrador
- Crítica

- Revisión
- Crítica
- Edición
- Publicación

Las Águilas se criticaban sobre sus ideas, organización, selección de las palabras, flujo de los enunciados, voz, y convenciones gramaticales, y evaluaban el uso de estas características del más fuerte al más débil. Las matemáticas también eran sencillas. Utilizábamos Khan Academy para enseñar habilidades matemáticas sin interacción con los guías y permitía que cada Águila se moviera a su propio ritmo. Por ejemplo, una de nuestras Águilas de secundaria completó pre-álgebra en tres semanas, mientras que otros batallaban con deficiencias en matemáticas que traían de escuelas tradicionales pero pronto encontraban su ritmo y les comenzaban a gustar las matemáticas, avanzando cinco grados en diez meses. "Me dijeron que era mala en matemáticas," me dijo un día. "¡No lo soy! Sólo tengo que trabajar duro."

El camino académico tradicional para enseñar ciencia es criticado por algunas personas porque a veces presenta la materia como algo que debe ser memorizado, haciéndola ver más como las respuestas a las preguntas de la vida en vez que una forma de indagación lógica.

En el estudio de secundaria, introdujimos la ciencia mediante los cambios de paradigma de Thomas Kuhn, donde los andamios que tienen sentido ahora serán derrumbados mañana. Las Águilas podían entonces clasificar a los científicos en tres arquetipos: rompedores de paradigmas, revolucionarios como Galileo y Einstein, quienes pusieron de cabeza la visión establecida de la ciencia; los hacedores de acertijos, quienes proponían teorías para probar o refutar paradigmas; y los recolectores de datos, los científicos cuidadosos y meticulosos que colectaban y anotaban datos, haciendo posible el trabajo de los otros grupos.

Luego podíamos debatir si los descubrimientos (rompedores de paradigmas); la invención (hacedores de acertijos); la recolección de datos (recolectores de datos), o la innovación—emprendedores que no son científicos pero llevan la ciencia al mundo real mediante invenciones—añaden más valor al mundo.

Comenzamos a introducir retos del mundo real más complejos, que requerían habilidades más complejas como análisis probabilístico y grabación de video. Por su diseño, los problemas eran más complejos y requerían trabajo en equipo. Mientras que cada vez más los estándares para presentar exhibiciones de alta calidad eran más altos porque los padres y visitantes estaban entre la audiencia, las lecciones sobre autogobierno que comenzaron a emerger cuando las Águilas se dieron cuenta de la necesidad de convertir el caos en órden eran mucho más importantes.

No teníamos idea que esto sería uno de los resultados más importantes de lo que llamaríamos "El camino Acton"—del caos al orden y de regreso. Un ciclo que las Águilas estaban comenzando a predecir, resolver y manejar por sí mismos en vez de depender de los adultos para que lo impusieran. Entender esto nos liberó para aceptar los momentos de caos, sabiendo que el aprendizaje estaba ocurriendo porque los estudiantes estaban conectados y comprometidos con sus emociones, incluso si esas emociones incluían estrés y frustración.

La experiencia de aprendizaje más impactante también se

convirtió en el principal incentivo y creador de cultura para el grupo de secundaria: las prácticas. Saber que el último cuarto del año lo pasarían buscando empleos reales de repente hizo que la ortografía, corrección gramatical, uso persuasivo del lenguaje y manejo responsable del tiempo se volvieran muy importantes para este joven grupo. Estaban escribiendo cartas y metas no sólo para obtener una calificación; lo estaban haciendo para obtener un empleo. Para principios de mayo, las Águilas habían asegurado prácticas en una variedad de lugares, incluyendo ranchos, panaderías, clínicas veterinarias, talleres de diseño gráfico, firmas arquitectónicas, una preprimaria, y una estación de noticias. ¿Quieren un adolescente serio y comprometido? Déjenle trabajar en algo que les es realmente importante.

Los resultados están aquí

La primera línea del correo de Jeff decía: "Aquí están los resultados de las pruebas." Creo que podemos llamar a esto el momento de la verdad. Después de que las pruebas preliminares al inicio del año mostraron que las Águilas de secundaria estaban repartidas entre los percentiles más altos y más bajos de aprovechamiento, temía ver los nuevos resultados. ¿Y si los estudiantes no habían mejorado? O peor, ¿y si los estudiantes más altos se habían unido a los otros en el fondo? Revisé los reportes. En promedio, los estudiantes de Acton Academy obtenían resultados tres niveles por encima de su edad antes de lograr la calificación máxima. Esto es una locura, pensé. Realmente funciona.

Los avances fueron dramáticos y continuarían a lo largo del

tiempo. Los estudiantes con menor aprovechamiento típicamente avanzaban dos o tres grados en matemáticas y escritura cada año, hasta que los chicos de secundaria alcanzaban el nivel de preparatoria.

Por supuesto, teníamos muy pocos datos para enfrentar cualquier estudio académico serio. Pero a los otros padres de Acton, a Jeff y a mí no nos importaba—podíamos ver la transformación que estaba ocurriendo en nuestros hijos frente a nuestros propios ojos.

Terminamos nuestro primer años de secundaria desarrollando la piedra angular del camino de aprendizaje de Acton Academy—una serie de insignias que representaban el trabajo de las Águilas a largo plazo en escritura, matemáticas, proyectos e indagaciones (ciencias, artes, tecnología, emprendimiento, finanzas, e ingeniería), civilización (historia, economía, gobierno), y liderazgo de servicio (mentoría y guía a otras Águilas). Las insignias estaban diseñadas para ser modulares, como Legos. El tipo y cantidad de trabajo necesario para obtener una insignia podía definirse claramente, y seguir dejando muchas opciones para las Águilas. Esto preservaba la libertad de elección y la excelencia. Las Águilas podían demostrar sus habilidades al mundo y ser capaces de seleccionar los retos que les parecían más interesantes.

El desarrollo de las insignias sería crítico para la creación de la preparatoria. Cada una incluía requisitos de un curso tradicional y podían traducirse a un kárdex que otras escuelas y universidades podían interpretar fácilmente.

Cada estudiante en Acton, incluyendo los más jóvenes de seis años, tendrían un plan de insignias que los padres podían ver, entender, y seguir. Otra capa de complejidad, sí, pero una que elevaba los estándares de todo lo que hacíamos. Las descripciones necesarias de los requisitos para obtener una insignia mostraban al mundo la riqueza, profundidad y rigurosidad del aprendizaje que lograría cada Águila de Acton (ver apéndice G).

El éxito de la secundaria de Acton fue un gran paso adelante. Podíamos seguir adelante construyendo y mejorándola, sabiendo que pronto haríamos lo mismo para preparatoria. Justo cuando comenzaba a ver la luz al final del túnel en la construcción de la "escuela de nuestros sueños", una oscuridad que cambiaría todo se estaba filtrando a mi vida personal—una vida que estaba íntimamente atada a todo en Acton Academy.

Capítulo 8

PERDIDOS *en la* OSCURIDAD

"Nuestra hija mostraba signos de depresión antes de asistir a Acton Academy. Ahora es feliz y está prosperando, en gran medida gracias al estilo de aprendizaje de Acton. Ahora le encanta la escuela tanto que no quiere perderse ni un día."

—SUSANNAH HOLLINGER, MADRE DE ACTON ACADEMY

Durante los primeros seis años de su vida, Sam y Charlie eran confundidos con gemelos. Y mientras que eran muy parecidos físicamente, sus personalidades eran completamente diferentes.

"No más."

Con eso, Charlie, de dos años y medio, se levantó del grupo de niños sentados en la biblioteca escuchando historias y comenzó a caminar fuera del cuarto. Simplemente se había hartado de la voz exagerada y lectura metódica de la bibliotecaria. Había cosas más emocionantes que hacer con su tiempo, y lo sabía.

Charlie tenía un espíritu realmente independiente, tomador de decisiones. Él dijo en voz alta lo que yo había estado pensando en ese momento. Yo también había tenido suficiente, pero hubiera seguido ahí, sentada, porque era lo correcto. No así Charlie. Él había sido vocal y voluntarioso desde el primer día. También había heredado de su padre la peculiaridad de que no le importaba lo que la gente pensaba de él. Es amable y extremadamente considerado, pero no tiene problemas para decir claramente sus ideas. Tiene toda la confianza para ir por su propio camino.

La respuesta típica de Sam era más cautelosa. El dijo, "No, gracias," cuando lo inscribí el equipo de futbol para niños de tres años. Todos sus amigos estarían en el equipo, así que hice lo mismo que las otras mamás. Simplemente inscribías al niño en futbol, ¿no? No a Sam. Pasó un año observando desde las gradas para decidir que le interesaba probar el futbol.

Sam es un observador de la vida. Él observa, escucha, recaba información y entonces—sólo entonces—toma una decisión. Pero una vez que toma la decisión, no se arrepiente. Esto tiene resultados interesantes en nuestra familia de aventureros.

El vuelo en parapente, por ejemplo, es una de nuestras actividades de verano favoritas. Subimos una montaña con pilotos acompañantes, nos amarramos, y corremos hasta que el viento nos levanta para volar entre las nubes. Charlie comenzó a volar en parapente a los tres años, después de verme hacerlo una vez. Por lo tanto, creímos que a Sam también le gustaría cuando tuviera tres años.

Ese año, subió a la montaña con nosotros. Dave, el piloto encantador y supertalentoso de Sam habló con él todo el camino hasta la cima de la montaña sobre lo que tenía que hacer cuando llegara a la cumbre. Habló con el niño con la dosis exacta de humor y respeto que se merece. Desempacaron el parapente, y Dave los aseguró, listos para el despegue. De repente, Sam lo miró con unos serios ojos oscuros.

"No, gracias," dijo.

Dave los desamarró, empacó el equipo, y bajaron para tomar un helado. Le tomó a Sam tres años más de observarnos antes de decir, "Sí, gracias." Aprendimos con el tiempo que la toma deliberada de decisiones contribuía a un profundo sentido de compromiso una vez que la decisión estaba tomada.

El invierno de la desventura

El sexto año de Acton Academy incluyó la progresión hacia la gran apertura de la Launchpad—la preparatoria de Acton Academy, nombrada así por las Águilas de secundaria. También fue un año llenó de frustración para Charlie Sandefer.

Conforme se acercaba al final de la secundaria, la actitud de nuestro hijo mayor cambió. Estaba callado, cansado, y casi no reía. Sus divertidas diatribas contra los comentaristas de radio matutina cesaron. No decía nada. Temía que su chispa se hubiera extinguido—lo que quise evitar a toda costa al fundar esta escuela.

La cultura de las Águilas de secundaria era completamente diferente a la primaria que ayudamos a crear, y Charlie comenzó a cuestionarse su papel ahí. Se sentía desconectado de la tribu. Por primera vez desde el 2009, sentía un aura negativa en el estudio de Acton. Se había formado una sub-tribu de Águilas que no querían trabajar. Y Charlie estaba en medio de todo ello.

"Ya no quiero hablar de la escuela," nos dijo durante la cena.

Charlie se había convertido en un joven directo y trabajador. Alto, delgado, y enfocado, heredó de ambos padres su dedicación a la misión y a "hacer las cosas". Con la asesoría de Jeff, había pasado de ser un policía de centro comercial y había cultivado un liderazgo callado que impulsaba a los demás a brillar. Pero le molestaba como un pequeño grupo de sus colegas evitaba el trabajo y lo lograban mediante huecos en el Contrato.

Después de la cena, nos sentábamos en el sillón y Charlie solía compartir sus frustraciones con toda la experiencia. Había defendido el contrato del estudio desde que ayudó a escribirlo en el 2009 junto con los otros estudiantes fundadores. Estaba cansado de sentirse sólo tratando de hacer que el grupo de Águilas mayores trabajara mejor en equipo. En vez de quejarse, se aplicó y trabajó más duro. Pero me daba cuenta que estaba a punto de llegar a su quiebre. Al mismo tiempo, Sam había enfrentado una enfermedad y hospitalización que desembocaron en un profundo estado de ansiedad. Mis momentos más oscuros como madre fueron verlo sufrir sin saber por qué y no saber como ayudarle ni aliviar su dolor. Comencé a preguntarme si el estilo de aprendizaje de Acton no sería muy difícil. ¿Estábamos esperando demasiado? Y luego estaba Taite, quien había decidido vivir tiempo completo con su madre, dejándonos con un sentimiento de vacío que ningún nivel de pensamiento o planeación podría llenar.

Encima de todos estos dolores en casa estaba el que nos dimos cuenta que comenzar una escuela nos hizo blancos de culpas cuando las cosas no iban bien para alguna familia. Había recibido correos electrónicos llenos de mensajes vengativos y se me había excluido de los círculos sociales. ¿Por qué no abrimos una tienda de helados y hacemos feliz a la gente todo el tiempo?" le pregunté un día a Jeff. "Este trabajo me pesa mucho."

"No más"

A las 5:30 de una mañana de invierno, estaba sentada leyendo en mi habitación cuando Charlie entró.

"Mamá," dijo, "quiero estudiar la preparatoria en otra escuela."

Todo lo que pude decir fue, "Gracias por decírmelo. Esperemos a que llegue Papá para hablar de esto."

No podía darle la noticia a Jeff. Nuestro hijo mayor—quien había sido una de las razones por la que emprendimos este camino en primer lugar—quería irse. Mi corazón se rompió por completo. Pero la decisión de Charlie no era una sorpresa. Había estado compartiendo sus frustraciones sobre sentirse desconectado del grupo desde hace un tiempo. Pero, ¿en qué momento se pusieron las cosas tan mal? ¿De qué estaba huyendo? ¿Habíamos fracasado por completo?

Nuestros hijos, Charlie y Sam, eran nuestros pilares en Acton Academy. La fundamos por ellos, y se habían convertido en nuestros canarios en la mina. Alrededor de la mesa y los fines de semana, hablábamos de cómo iban las cosas en el estudio. Y cuando introducíamos nuevos programas, Charlie y Sam proveían el suero de la verdad. ¿Nuestras ideas estaban funcionando en tiempo real, o fracasaban? Habíamos dependido de ellos en cada paso del camino para inspirarnos y compartir lo que funcionaba y lo que no. Habían sido nuestros maestros y nuestros guías.

El rayo de esperanza era que Sam aún estaba "dentro." Conforme se levantaban las nubes de la ansiedad, también se afianzaba su compromiso con este camino de aprendizaje en Acton. De hecho, había salido del otro lado del túnel con un sentido de propósito y un deseo de liderar a otros. Junto con él estaban casi setenta jóvenes en Acton que eran la luz de mi vida cada día. Mi dedicación al aprendizaje de mis propios hijos se había convertido en una dedicación para todos los niños. Pero el futuro de Acton no incluiría a Charlie. Yo no quería que esa fuera la historia.

Llegó el final del día y sabía que debía decirle a Jeff. "Charlie me dijo esta mañana que no quiere ir a la Launchpad. Quiere visitar otras preparatorias en la ciudad

"Puede hacerlo, pero no voy a pagar para que asista a otra escuela privada." La respuesta de Jeff me sobresaltó. Estábamos acostumbrados a escuchar a los niños y considerar sus opiniones. Las escuelas que Charlie estaba considerando eran, efectivamente, las privadas, pero ese no era el punto. Esto era más complejo que una decisión financiera. No importa cuánto digamos que confiamos en los niños en el ambiente de aprendizaje, ser padre es difícil; debe encontrarse un balance entre ser permisivo y autoritario. Los padres pueden confiar en sus hijos, pero eso no significa que cedan la autoridad familiar a los niños. Los padres no son guías socráticas. No es saludable que la vida familiar se centre todo el tiempo en lo que quieren los niños. Jeff y yo nunca pretendimos ser los padres perfectos, y como todos los padres, tenemos problemas para saber cuándo tomar la autoridad y cuándo dejar a los niños resolver los problemas por sí mismos. Percibí que la claridad directa de la respuesta de Jeff eran una cubierta para sus propios sentimientos sobre la decisión de Charlie. En este duro momento, los dos estábamos perdidos.

. . .

Cuando Charlie se acercó esa oscura mañana a anunciar su deseo de dejar Acton, podía ver la determinación en sus ojos. En cierto sentido, Charlie había tomado el mando de su educación. El choque inicial que sentí cuando lo anunció progresó lentamente por las etapas del duelo—negación, enojo, negociación con Dios, y, finalmente, la dulce aceptación. Frente a mí no estaba el dulce niño de seis años que amaba los camiones más que otra cosa. Era un joven que se había convertido en un estudiante independiente y podía tomar decisiones sólidas. Era alguien que podía tomar sus sueños y hacer planes para lograrlos, una persona que podía entender lo que necesitaba aprender para estar completo. Charlie había demostrado que podía trabajar muy arduamente y que no tenía miedo de comenzar una aventura por sí mismo.

La decisión de Charlie de dejar Acton afectó nuestras vidas de muchas maneras. Durante más de una semana Jeff se apegó a su reacción inicial. Simplemente no hablaba de ello. Nunca lo discutimos, fue como si nunca se hubiera mencionado.

Preocupada de que no me hubiera escuchado aquella fatídica tarde, le dije, "Creo que necesitas escuchar abiertamente a Charlie. Esto es muy importante para él, está siendo muy valiente al tomar una postura y pensar sobre su propio camino de forma distinta a nosotros. Voy a ayudarle en el proceso. Va a enviar solicitudes a otras dos escuelas privadas."

Me fui de ahí pensando que había una buena posibilidad de

que estaría luchando sola por Charlie. Pensé que debería estar solidarizada con Jeff, pero él no vio la determinación en los ojos de Charlie esa mañana. Él no había escuchado su tono de voz.

¿Pasto más verde?

Charlie y yo tuvimos un mes para cumplir con las fechas límite para enviar las solicitudes a las dos escuelas privadas que estaba considerando. Había exámenes de admisión que tomar, ensayos que escribir, solicitudes que completar, y entrevistas y tours a los que asistir.

Mi vida como la había vivido los últimos ocho años ahora se veía tan simple y enfocada. Estaba entrando en el torbellino de la burocracia de las escuelas tradicionales y me recordaba lo libre que era como padre de Acton. De repente, estaba escuchando sobre políticas de castigos y restricciones de faltas.

Mi realidad estaba ahora dividida. Me despertaba cada mañana y saludaba a las Águilas en la banqueta, aconsejaba a las guías. Yo era la fundadora de Acton Academy. Llevaba esa camiseta y quería llevarla bien. Y pronto abriríamos una preparatoria. ¿Cómo me enfrentaría a esos padres que pensaban inscribir a sus hijos? No me imaginaba diciendo, "¡Sí! ¡Acton es fabulosa! La construimos para nuestro hijo. Oh, él decidió no seguir estudiando aquí. Pero créanme, es genial."

Al mismo tiempo, me estaba apresurando con Charlie para visitar escuelas y asistir a entrevistas para admisión. ¿Cómo podía sentarme con Charlie en esas entrevistas y decir honestamente que estaba de acuerdo con su programa y apoyaba su deseo de asistir a esa escuela? ¿Cómo podía responder las preguntas de las solicitudes sobre por qué escogía esta escuela y lo que planeaba contribuir como padre? Y finalmente, después de un largo día en Acton, llegaría a casa con Jeff. No hablábamos mucho sobre lo que ocurría. Charlie seguía avanzando en el proceso de admisión, y Jeff estaba en silencio—excepto cuando me recordaba: "no voy a pagar por esto."

La escuela a la que Charlie decidió inscribirse era en muchas formas lo opuesto a Acton Academy—una escuela privada con una currícula clásica cristiana, uniformes obligatorios, capilla, exámenes frecuentes, un enfoque en preparación para la universidad y un alto valor otorgado al respeto a la autoridad. A Charlie le atraía la idea de tener maestros y deportes de verdad. Quería ver si podía sentarse y aprender en un salón igual que los demás. Más importantemente, quizá, no quería tener que ser el líder todo el tiempo y mantener los estándares para otros chicos de su edad.

La pregunta para mi era clara: ¿Podría la frágil cultura de la secundaria y preparatoria de Acton sobrevivir y crecer sin la diaria presencia de Charlie y su vocal persistencia para mantener las promesas hechas en el contrato del estudio?

Jeff cambia de opinión

Charlie estaba sentado un día en el sillón cuando Jeff llegó y se sentó junto a él. Habían pasado dos semanas desde que Charlie anunció su deseo de dejar Acton. Durante ese tiempo, Jeff había estado lidiando con una odisea propia. Mientras peleaba con la libertad que le daban a Charlie y peleaba su batalla personal contra el sistema educativo tradicional, se dio cuenta que estaba reprimiendo el espíritu de su hijo—lo último que quería hacer

"Charlie, he tomado una decisión," dijo. Voy a apoyar completamente tu decisión de asistir a otra escuela. Te extrañaré muchísimo en Acton, pero voy a pagar para que asistas a otro lado. Lo he pensado mucho y tu necesitas hacerlo. Yo necesito dejarte tener tu propio camino.

Al escuchar desde la cocina, todo lo que pude sentir fue alivio. Estábamos nuevamente unidos como familia, en vez de vivir con un frente dividido. No estaba feliz de que Acton perdiera a Charlie, pero al menos nos estábamos apoyando en nuestros caminos individuales y soportando juntos los embates.

Mantuvimos las solicitudes a otras escuelas en secreto del resto de la comunidad de Acton tanto como pudimos. No parecía necesario que el mundo lo supiera. Fue difícil explicar como el hijo de la fundadora de la escuela podría dejarla. La decisión de Charlie de irse era particularmente difícil porque sabíamos que progresaría en Launchpad, que se parecería más a una empresa creativa que a una escuela. El estudio estaría manejado principalmente por los adolescentes, con mucha libertad y con oportunidades de liderazgo para guiar y dar mentoría a Águilas más jóvenes en los estudios de secundaria y primaria.

Nuestra agenda para la Plataforma de Lanzamiento era muy similar a la primaria y secundaria, pero con más tiempo dedicado a prácticas en el mundo real. Estos ambiciosos adolescentes continuarían afinando sus habilidades cada mañana mediante programas en línea, leyendo libros profundos, escribiendo géneros más complejos, y resolviendo problemas de matemáticas avanzadas como probabilidad y estadística y cálculo. También entablaría discusiones socráticas para explorar preguntas profundamente importantes sobre lo que hace que las civilizaciones se levanten y caigan, y continuarían estudiando historia Americana e historia mundial. Las tardes se ocuparían en trabajo colaborativo, participando en indagaciones más avanzadas (una forma más avanzada de "proyectos") en biología, química y física, que incluía componentes de cursos de nivel universitario.

También nos habíamos unido a una asociación atlética de escuelas privadas para que nuestras Águilas mayores pudieran competir contra otras en fútbol americano, básquetbol y futbol. Aprenderían y se certificarían en primeros auxilios y resucitación cardiopulmonar y tendrían la oportunidad de tomar una expedición anual—nacional o internacional—planeada y ejecutada por el grupo de Águilas y financiada con el dinero obtenido en las prácticas.

Como implicaba el nombre, Launchpad estaba preparando a los adolescentes para su próxima aventura después de la graduación. Recibirían coaching personal para ayudarles a conocer mejor sus sueños y metas así como pasar más tiempo en prácticas para ganar experiencia del mundo real dentro de las industrias que les interesaban.

Estos jóvenes se lanzarían al mundo equipados y preparados para cumplir sus metas. La mayoría estaban planeando asistir a escuelas competitivas y se graduarían con un numero sustancial de créditos universitarios. Pero Charlie no experimentaría esta visión de Acton.

Éxodo y apoyo

Las otras Águilas podían notar que algo había cambiado en Charlie. Comenzaron a preguntarle si se quedaría en Launchpad. El día que recibimos la carta de aceptación de la nueva preparatoria de Charlie decidimos que era momento de adelantarnos a los rumores. Escribí una entrada de blog sobre la decisión de Charlie y esperé a que llegaran los comentarios y correos electrónicos. Ahora se sentía más real. Charlie estaba dejando Acton.

Las respuestas llegaron lentamente—apoyando a Charlie. Una madre en particular me ayudó a ganar algo de perspectiva: "Mi esposo y yo estuvimos hablando al respecto, y nos dimos cuenta que ninguno de nosotros querría asistir a una preparatoria donde los maestros y directores fueran nuestros padres. ¡Le deseamos lo mejor a Charlie!"

Hice una presentación sólo para nosotros cuatro—Jeff, los niños y yo—llamada "Acton Academy con Charlie." Había recolectado fotos de cada año y las junté para marcar este parteaguas. En la víspera de su último día, la vimos juntos. Traté de contener las lágrimas. Jeff sonreía. Charlie reía y comentaba sobre las escenas. Sam no dijo ni una palabra. Nunca había expresado su opinión sobre la decisión de Charlie. Me preguntaba si estaría feliz de salir de la sombra de Charlie. Quizá esto sería lo mejor para ellos.

Al terminar la presentación, reímos al pensar en los recuerdos sobre la rebelión de la declaración de independencia. Nos lamentamos sobre los recuerdos de los problemas de los Eagle Bucks y el mote de "policía de centro comercial" de Charlie. Felicitamos a Charlie por sobrevivir a todo ello y contribuir tanto de sí mismo a la misión.

Al día siguiente, al cerrar la sesión en secundaria, Jeff le preguntó a Charlie y a otra Águila que se iba que había estado con nosotros durante años a que se pusieran de pie con él, junto al grupo. Jeff quería marcar su partida con palabras de gratitud por lo que habían contribuido durante su tiempo en Acton. Pero se volvió rápidamente muy profundo y personal. El comenzó a leer su mensaje personal, pero sólo pudo leer unas líneas. Se golpeó el pecho, porque sus palabras no salían. Lágrimas rodaban por sus mejillas.

"Lo siento," dijo. "No esperaba ponerme tan emocional. Estamos agradecidos con ambos. Los extrañaremos mucho. Les deseamos caminos heroicos:"

Era la primera vez que veía a Jeff llorar.

Charlie había servido como nuestro estudio de caso y como nuestro salvaguarda de la verdad. Necesitábamos que la cultura se redefiniera sin él. Aunque sentíamos temor de hacer esto sin el liderazgo de Charlie, nuestro empeño no flaqueó. Sam estaba pasando por secundaria, y pensar sobre su futuro en este mundo impredecible y cambiante aumentaba nuestra determinación para que Launchpad saliera bien.

Le pregunté a Sam si había pensado si quería buscar otra preparatoria igual que Charlie. Su compromiso indomable con sus decisiones personales brilló. "Charlie está loco," dijo. "Yo me quedo en Acton."

Capítulo 9

MÁS PADRES LLEVAN *la* ANTORCHA

"El hecho que Acton demanda excelencia y dominio es la ÚNICA razón por la que nuestra hija puede soñar con ser admitida en las mejores universidades. En Acton no tenía desventajas por ser una 'flor tardía'. Ella ha tenido el espacio para encontrarse a sí misma y la responsabilidad para avanzar. Acton es el lugar donde a aprendido a ser la mejor versión de sí misma."

—SANDY YAKLIN, MADRE DE ACTON ACADEMY

Estaban sucediendo unos giros mágicos en mi historia personal de Acton Academy. Con cada mes que pasaba, estaba creciendo. Y también lo hacían los padres que se habían comprometido en este camino junto conmigo. Conforme nuestros hijos se aventuraban en sus viajes de héroes, nosotros como padres nos hacíamos más valientes. Estábamos aprendiendo a eliminar nuestras tendencias a proyectar nuestros deseos personales a nuestros hijos y protegerlos de las dificultades. Estábamos convirtiéndonos en aprendices. Incluso en soñadores.

Los padres de Acton Academy estábamos comenzando a explorar las personas que debíamos ser. La curiosidad de los niños comenzó a alimentar la nuestra. Y nuestra floreciente curiosidad estaba a su vez alimentando los sueños de nuestros hijos sobre su futuro. Habíamos escapado la trampa de preocuparnos por tareas, políticas de mesa directiva, y calificaciones en las pruebas. Como si liberásemos un pájaro de su jaula, estábamos soltando a nuestros hijos y estaban aprendiendo a volar. Una vez que experimentas eso, realmente no puedes volver a un sistema construido para domar e incluso opacar la individualidad.

Una mañana, durante la entrada a la escuela, encontré a la madre de Bodhi, Becca, quien dijo, "Ver a Bodhi tan motivado e independiente es increíble. ¡Solo desearía haber confiado en el proceso y no preocuparme tanto cuando estaba en la primaria! ¡¿Puedes creer que acaba de terminar un libro de 900 páginas sobre la historia del petróleo—que él decidió leer—en TRES SEMANAS!?!"

Comenzaba a darme cuenta de lo que estaba ocurriendo—los padres que habían probado Acton Academy ahora querían una para sus propias comunidades. Habíamos pensado en esto al principio, pero nunca pensamos que ocurriría. A un año de haber abierto nuestras puertas, sin embargo, un viejo amigo tocó nuestra puerta ¿Le permitiríamos abrir su propia Acton Academy?

Acton Academy Ciudad Guatemala

Cuando aún estábamos en nuestro segundo año, con Acton Academy marchando a todo motor, Jeff recibió un mensaje de Juan Bonifasi, uno de sus estudiantes más exitosos en la primera generación de Escuela de Negocios Acton. Juan y su esposa, Ana, guatemaltecos, estaban visitando Austin con sus tres hijos como parte de una reunión de generación con los compañeros del MBA de Acton de Juan. Él escuchó que habíamos abierto una primaria y tenía mucha curiosidad sobre Acton Academy. Nos compartió sus frustraciones sobre lo limitadas que estaban las oportunidades escolares para sus hijos en Guatemala.

Invitamos a Juan y Ana a visitarnos en Acton Academy, y pasaron casi todo el día observando el estudio. Primero, parecían abrumados al ver a los niños en constante movimiento sin la dirección de un adulto. Pero Juan pudo ver a través de lo que parecía un caos. Jeff siempre describió a Juan como "experto en sistemas" y yo estaba por verlo en acción.

"Sistemas," dijo. "Veo capas de sistemas. Ahora entiendo por qué los niños pueden funcionar tan libremente juntos. Es debido a los sistemas en función. Los adultos no manejan a los niños. Los sistemas lo hacen." Señaló la agenda pegada en el refrigerados, y luego la lista de cotejo de mantenimiento del estudio, Pasó la mayor parte del tiempo viendo la lista en la pared donde las Águilas toman nota de sus metas y señalaban su progreso. Al igual que Heather y Allan Staker al final de su visita, Juan vio que todo en los cuartos estaba acomodado de tal forma que no solo se sentía bien, pero estaba organizado y etiquetado de forma lógica para que los niños encontraran todo lo que necesitaban. El Contrato estaba publicado. El reglamento para discusiones estaba publicado. Había una lista de cotejo para los primeros borradores de las historias cortas en las que estaban trabajando los niños. Solo leer lo que estaba pegado en las paredes podía decirle a un observador exactamente como era que los niños funcionaban tan independientemente en este espacio.

Parecía que Ana y Juan estaban en una misión. Caminaron por nuestra pequeña escuela y hacia la cocina, donde vieron lentes de protección de plástico colgados de ganchos junto a batas de laboratorio, cada una con su nombre. En el suelo había pilas de cubetas de plástico con agujeros, pipas de PVC blancas pegadas a los agujeros en las cubetas con cinta de ductos, y cubetas con agua. Había un mapa en la pared marcando el progreso de los estudiantes en su indagación para descubrir los secretos de la electricidad. El mapa incluía los retos para esa tarde: utilizar ruedas de agua para demostrar el voltaje y amperaje.

"Se ve divertido," dijo Ana mientras tomaba la mano de Juan y lo llevaba al escritorio de Charlie.

"Charlie, ¿podrías mostrarnos qué hay en la bolsa azul que cuelga de las sillas?" preguntó. Charlie, entonces de ocho años y muy serio sobre su trabajo en Acton, sacó una carpeta azul de la bolsa y se lo dio a la Sra. Bonifasi.

"¿Podemos verlo?" preguntó.

Ella y Juan leyeron la primera página. Era la hoja de trabajo que las Águilas utilizaban para medir sus metas S.M.A.R.T (en inglés, específicas, medibles, alcanzables, realistas, y con restricciones de tiempo, creadas por George T. Doran). Vi que señalaba las marcas donde Charlie había tomado nota de su progreso: Hecho, En Progreso, Sin Comenzar. Siguieron ojeando el resto de las secciones de la carpeta: lectura, escritura, matemáticas, proyectos. Todo estaba ahí para que lo manejaran las Águilas. "Gracias, Charlie," dijo. "Se ve que has estado muy ocupado."

Caminaron por entre los cuartos, viendo por encima del hombro de las Águilas conforme trabajaban en sus laptops o leía libros o hacían anotaciones en sus libretas de escritura. Luego se sentaron en un rincón para ver pasar el día. Vi que Juan tomaba notas en su propia libreta. Ana se levantó a leer el contrato de estudiantes y el reglamento enmarcado y colgado en la pared.

Pronto, Ellie levantó un palo de lluvia para señalar que era momento de un cambio. Era la "anti-campana de la escuela." El amable sonido de cuentas cayendo a través de un cilindro de madera era sorprendentemente gentil y poderoso. En vez de sobresaltar a los estudiantes, los invitaba a fijar su atención en Ellie.

"El tiempo para trabajar en habilidades fundamentales se ha terminado, y es momento de organizar el estudio," dijo Ellie con su voz suave. "Nos vemos en la alfombra de alcachofa en quince minutos."

Juan y Ana vieron a las Águilas, de entre seis y diez años de edad, colocar laptops en el carrito cargador, recoger basura del suelo, acomodar las sillas alrededor de la mesa, y poner los libros en el librero. Una de las Águilas tomó una carpeta que colgaba de la pared de la biblioteca. Juan preguntó si podía verla. Era una lista de cotejo de lo que necesitaba hacerse al final del trabajo en habilidades fundamentales.

"Ah," me dijo cuando me acerqué, "la magia de las listas de cotejo."

Exactamente quince minutos después, el grupo entero estaba sentado en un círculo en la alfombra de alcachofa, esperando en silencio la pregunta para discusión preparada por Anna: "¿En qué momento del día de hoy te encontraste en tu zona de pánico, y cómo saliste y regresaste a tu zona de reto?" Durante los siguientes quince minutos, se desató una rica y animada discusión sobre hábitos de trabajo.

Los Bonifasi se miraron mutuamente, con los ojos muy abiertos. Todo lo que dijeron cuando nos encontramos en la puerta fue, "Wow."

. . .

Unas horas más tarde, estábamos sentados en nuestra sala con la familia Bonifasi, observando la luz rosada y amarilla del atardecer colarse por las ventanas.

"Cuéntennos sobre Ciudad Guatemala," dije.

"Guatemala es un país en vías de desarrollo," explicó Juan, "pero uno cada vez más vibrante."

Juan dijo que el corazón de Ciudad Guatemala era como un oasis del libre mercado. De hecho, fue por ello que pudo co-fundar junto con Jeff y otros emprendedores una Escuela de Negocios Acton dentro de la Universidad Francisco Marroquín en Ciudad Guatemala. Juan valoraba los principios de libertad, verdad, aprendizaje, y excelencia. "Son los principios comunes que nos unen," dijo. "Quiero para mis hijos lo que pude experimentar como adulto bajo las enseñanzas de Jeff. ¿Nos compartirías esto para que podamos abrir nuestra propia Acton Academy?"

"Mucho de lo que vimos hoy en el salón fue diferente todo lo que habíamos esperado o visto antes, añadió Ana.

"Y los niños estaban felices," dijo Juan.

Pasamos las siguientes horas compartiendo nuestras historias sobre la escuela y el aprendizaje. Cuando se levantaron para irse, Jeff le entregó a Juan una copia del libro de Clark Aldrich, "Unschooling Rules".

"Juan y Ana, si alguien en este mundo podría tomar lo

tenemos como prototipo y plantarlo en otro sitio, son ustedes," Jeff dijo. "Nos encantaría verlos fundar su propio Acton en Guatemala."

Un mes después de su visita, Juan ya había encontrado familias dispuestas a inscribir a sus hijos. Y con eso, Acton Academy Ciudad Guatemala comenzó a tomar forma.

. . .

En enero del 2012, Jeff, Charlie, Sam y yo decidimos aventurarnos a Guatemala para ver cómo marchaba la incipiente Acton Academy de Juan y Ana. Como su hija mayor tenía trece años, abrieron estudios de primaria y secundaria al mismo tiempo—ya iban más adelantados que nosotros. Estábamos ansiosos por ver cómo se veía nuestro modelo escolar en una cultura diferente y con un mayor rango de edades.

Desde la ventana del avión pude ver, justo a las afueras de la ciudad, un paisaje selvático abrazando un volcán que acariciaba las nubes. Esta era mi primer visita a Guatemala, y traer a mis hijos como los embajadores expertos para nuestra escuela hermana fue algo que nunca imaginé. No tenía idea de qué esperar. Jeff, quien ya había visitado Guatemala muchas veces, solamente dijo, "Prepárate para la mejor hospitalidad que has experimentado en tu vida."

Más allá de la hospitalidad, quería ver si Acton Academy en Centroamérica era un verdadero reflejo de nuestra visión. Tan pronto salimos del aeropuerto, nos conducimos a una casa rodeada por una reja de hierro. Dentro de la reja, la exuberante vegetación rodeaba la entrada. Ahí nos esperaban tres Águilas de

Acton con grandes sonrisas en sus rostros y sus manos extendidas. Conforme caminábamos por la casa convertida en escuela, las cosas comenzaron a verse familiares. Había un contrato enmarcado en la pared. Había un mapa del viaje de héroes. Había una gráfica que marcaba el progreso de las metas personales. Y cuando entramos al patio, ahí habían treinta Águilas, entre cuatro y trece años. Todo estaba escrito y hablado en inglés. Estos niños eran bilingües—con una disciplina admirable.

El resto del día incluyó una sesión de Skype con nuestro estudio en Austin y la observación del tiempo dedicado a sus proyectos, que trataban sobre inventar un juego. Charlie y Sam lideraron la discusión final del día y preguntaron al grupo que era más importante—saber que eran parte de un viaje de héroes o saber que eran parte de una estrecha comunidad.

Facilitaron la discusión como guías socráticos, buscando respuestas cada vez más profundas, haciendo votaciones, pidiendo ejemplos, y luego pidiendo las conclusiones aprendidas.

Estaba viendo nuestro modelo tomar vida propia y a los niños formar lazos basados en principios y cultura compartidos que trascendía las fronteras.

Acton Academy Venice Beach

Dani y Russ Foltz-Smith se mudaron a Austin en el 2010 con sus hijas Belle y Reese. Los californianos trasplantados no sabían nada sobre las escuelas locales. Todo lo que sabían es que no enviarían a sus hijas a una escuela tradicional, pública o privada. Ya habían probado esos sistemas y ninguno había funcionado para sus hijas. A una semana de haberse instalado en Texas, se presentaron en Acton Academy.

Dan, bronceada de vivir en la playa y ataviada con un vestido negro, describió su frustración al tratar de encontrar una escuela que mantuviera a sus hijas, de seis y ocho años, comprometidas con el aprendizaje. Había visitado nuestra página web, visto la TEDx talk de Jeff, y tuvo la corazonada que esto era lo que quería que experimentaran sus hijas. Russ, pelirrojo y callado, me dio un fuerte abrazo cuando terminamos el tour de Acton.

"¿Qué necesitamos para comenzar mañana?, preguntó.

Bella y Reese se acoplaron a Acton como Águilas al cielo. Pero después de dos años con nosotros, California los llamaba de regreso a casa. La compañía de Russ decidió regresarlo a Venice Beach. Dani entró a mi oficina con las noticias.

"Laura, estoy entrando en pánico," me dijo. "Le dije que no quería irme, porque allá no hay Acton Academy.

"¿Existe alguna manera de ser estudiantes a distancia? Puedo manejar el aprendizaje en línea y luego podemos hablar por Skype para participar en las discusiones socráticas," imploró. Era la única manera en la que se sentiría segura de dejar Austin.

"¡Me gustaría intentarlo!," le dije. "Una idea es que sus compañeros de escritura les envíen su retroalimentación por correo electrónico. Creo que funcionaría si ustedes mantienen el enfoque en los objetivos y la responsabilidad."

"¿Y qué hay de los proyectos?," preguntó Dani.

"Pueden crear su propios proyectos o utilizar los nuestros," le respondí. "Podemos enviarte el plan básico y tu puedes hacer los ajustes necesarios."

Varias fiestas de despedida después, nos encontramos con

dos Águilas que asistían a nuestra escuela desde Venice Beach, California.

Pronto descubrimos que esta no era una opción sustentable. "Intentaron vivir en horario de Texas, en California," me dijo Dani después de dos semanas. "Pero es muy cansado levantarse tan temprano en la mañana para las discusiones grupales. Tengo una idea loca, ¿puedo empezar mi propia Acton aquí?

Me estaba acostumbrando a las ideas locas. Sin pensarlo mucho dije, "Por supuesto, y ¡pueden llamarla Acton Academy Venice Beach!"

. . .

Dani, Russ y sus hijas habían hecho una tradición de visitar nuestro campus de Acton durante sus vacaciones de primavera. Esto le dio a las niñas la oportunidad de trabajar con sus amigos Acton originales, y Dani y yo nos poníamos al corriente sobre su trabajo. Acton Academy había tomado una vida propia bajo su liderazgo, pero los principios fundamentales compartidos la estaban llevando al éxito.

Tenía un pequeño pero entusiasta grupo de Águilas trabajando desde su casa, practicando sus habilidades fundamentales en sus laptops por la mañana. Pasaban las tardes trabajando en proyectos grandes en la comunidad y solían tener educación física en la playa. La biblioteca era el lugar favorito para hacer investigación y para alimentar su taller de escritura.

"Es simple, pero se siente como Acton. Tenemos la misma alegría por aprender," dijo Dani.

Compartiendo herramientas para el camino.

¿Íbamos a esparcir activamente el modelo de Acton Academy o íbamos a dejar que se esparciera orgánicamente, como un movimiento "grassroots"? Recuerdo una llamada por Skype que tuve con una mujer soltera de Denver, Samantha Simpson. Ella estaba concursando para ser nuestra aprendiz de guía y cerró la entrevista diciendo, "Sería mi sueño abrir mi propia Acton Academy algún día." ¿Abrir su propia Acton? Estaba sucediendo algo que era más grande que nosotros dos. La gente estaba despertando a una nueva idea de "escuela" y nosotros estábamos en una posición en la que podíamos equipar a otros para construir la suya. Compartí esta entrevista con Jeff y dijo, "¿Deberíamos planear para cien Acton Academies más—o mil?"

Justo cuando nos estábamos poniendo cómodos

Para nuestro cuarto año, había cuatro nuevas Actons a punto de inaugurarse, y cada día recibíamos solicitudes pidiendo información de como abrir una escuela. Estábamos sobrepasados. Yo estaba enfocada en los problemas en nuestros estudios de primaria y secundaria. Jeff estaba tratando de entender la preparatoria

Necesitábamos ayuda. Esto era como un movimiento "grassroots" y muy apenas podíamos mantenerlo. Y el paquete—nuestra colección de proyectos, indagaciones, procesos, y sistemas para que otros utilizaran—francamente daba pena.

La ayuda llegó en la forma de Matt Clayton, el coescritor del Reporte Christensen, quien había agendado la entrevista telefónica entre Heather Staker y Jeff en el 2010. También era hermano de Heather y le había comentado que desde que estuvieron trabajando en el reporte, no había podido sacarse a Acton Academy de la mente.

En ese entonces, él tenía una exitosa carrera en Goldman-Sachs, pero estaba cautivado con la idea de la disrupción, y, en particular, sobre como se aplicaba a la educación. Contactamos a Matt para ver si podíamos convencerlo de venir a trabajar con nosotros en Austin. Tuvimos suerte.

En el 2014, Matt se mudó a Austin con su nueva esposa, Maria, para liderar nuestra expansión. Como nuestro evangelista líder, nos ayudaría a "embotellar" nuestros procesos, sistemas, métodos y diseño de aprendizaje en la forma de un paquete de clase mundial para ayudar a otros a abrir su propio Acton Academy.

Matt resultó ser perfecto para el trabajo. Terriblemente inteligente, emprendedor, y con una dedicación apasionada para cambiar para siempre el concepto de escuela, y se llevó con Acton tan bien como, bueno, un héroe en su viaje.

Matt trabajó con diseñadores de software y entrevistó Águilas sobre sus hábitos de trabajo para construir una plataforma para que los estudiantes de Acton alrededor del mundo pudieran ver los retos diarios, seguir sus metas personales, publicar su trabajo, recibir críticas, y acumular insignias. Nunca antes había habido algo tan amigable y rico en información para que los jóvenes y sus padres mostraran—en tiempo real—los detalles sobre el proceso de aprendizaje en la escuela.

Matt también creó un simple embudo de ventas que los nuevos dueños potenciales pudieran seguir en su empresa para abrir una nueva escuela. ¿Nuestros criterios para aceptar nuevos dueños una vez que sabíamos que creían en nuestra misión? Solo dos cosas: Sus propios hijos asistirían a la escuela, y deberían tener experiencia manejando un pequeño negocio o proyecto comunitario.

Escuché a Matt hablando por teléfono en mayo del 2017. Era una conversación que había escuchado antes muchas veces desde que comenzó a trabajar con nosotros. Sabía que debió comenzar al otro extremo de la línea con las preguntas "¿Qué es su kit? y "¿Son una franquicia?" Piensen en Acton como una red de emprendedores de clase mundial unidos en la misión de construir escuelas para sus hijos. No es una franquicia, sino un taller. Compartimos herramientas en línea mediante un programa llamado "La caja de herramientas de Acton", además que nos reunimos una vez al año en la Conferencia Acton en Austin.

Hay tres principales beneficios de la red Acton:

1. *La gente:* La gente es la mejor parte de Acton Academy. El foro de discusión en línea de los dueños es una experiencia rica desde las trincheras, con diferentes discusiones cada día. Hemos descubierto que experimentamos problemas similares a lo largo de la red, por lo que si tienen algún problema o encuentran algo que realmente funciona, alguien más tiene la misma experiencia. ¡No puedo decir suficientes cosas buenas de estas personas!
2. *Los sistemas:* Lo que Acton hace mejor que cualquier otro en el mundo es construir un estudio donde los jóvenes son los líderes. Estas herramientas están disponibles para los nuevos Actons. Esto incluye herramientas para poner metas, discusiones socráticas, mantenimiento del estudio, contratos del estudio, Eagle Bucks, nuestra plataforma de software, etc.

3. *Currícula o diseño de aprendizaje:* Los mejores consejos del kit son las "Quests" listos para usar y los proyectos desarrollados a lo largo de los años, los retos de escritura, los materiales de discusión para civilización—todos probados con las Águilas de Austin.

En pocas palabras, cualquier persona que solo quiera "darle play" a una escuela tipo franquicia probablemente se decepcionará de lo que encuentre. Pero los padres emprendedores que quieren un viaje de héroes con sus hijos encontrarán un pozo profundo de herramientas de alta calidad.

Alivio y pertenencia

Al igual que la Feria de Negocios de los Niños, que tomó vida propia y creció con que le pusiéramos mucha atención, Acton Academy estaba encendiendo un fuego en los padres que querían algo diferente de lo que las escuelas convencionales—públicas o privadas—estaban ofreciendo. Quizá nunca se imaginaron como administradores de una escuela, pero estaban dispuestos a tomar acción por el bien de sus hijos. Después de Ciudad Guatemala y Venice Beach, se crearon Acton Academies en Houston, Chicago, Nueva Orléans, Toronto, Sacramento, Las Cruces (Nuevo México), y otras cuarenta ciudades en todo el mundo.

Aunque no tendremos una graduación de estudiantes de preparatoria hasta la primavera del 2018, Acton Academy Ciudad Guatemala ya había lanzado a una de sus Águilas al mundo. María Theresa estaba de manera simultánea y exitosa, tomando cursos en Udacity, Cursera, y edX mientras fungía como consultora en su universidad local. Recientemente había dado una TEDx Talk sobre el futuro de la educación.

"Es la persona más joven invitada por Peter Thiel a la conferencia "20 under 20" para los jóvenes más brillantes del mundo," escribió Juan. "Y ella cree que viene una revolución similar a Wikipedia, una donde los estudiantes encontrarán, curarán y secuenciarán videos, problemas, simulaciones, proyectos, retos del mundo real, y otras experiencias de aprendizaje, y cada estudiante encontrará el patrón que mejor funcione para ellos para una área del conocimiento o habilidad en particular."

Su analogía era el ADN. Secuenciar material educativo era como secuenciar genes: Cada individuo tiene una secuencia única que funciona para ellos, pero puedes aprender mucho de compartir y estudiar las similitudes y diferencias en los patrones y como varían entre los individuos. Diseñó un sitio web donde los estudiantes comparten y comparan diferentes secuencias para una variedad de temas. En el 2017, hizo prácticas con uno de los mejores investigadores médicos del mundo, buscando una cura la para enfermedad de Lou Gherig.

"A sus dieciséis años, Maria Theresa fue aceptada en la Universidad de California, Berkeley," dijo Juan.

Nuestras propias Águilas comenzaron a sentirse parte de algo más grande que nuestro pequeño campus. Lo que Juan y Dani habían puesto en marcha al llevar a Acton a sus comunidades se había extendido por todo Estados Unidos y más allá. Y las Águilas sintieron la ola de la oportunidad. Eran parte de una comunidad global.

Capítulo 10

TESORO ENCONTRADO

"Globalmente, cada Acton Academy es diferente. Mientras que los sistemas son similares, casi todo lo demás toma su propio camino porque refleja las decisiones de los jóvenes héroes y sus caminos. ¡Únicas y hermosas!"

—JIA-HONG TANG, DUEÑO DE ACTON ACADEMY KUALA LUMPUR, MALASIA

A las 5:00 p.m. del 5 de marzo del 2017, me encontraba entre unos 200 invitados en nuestro estudio de secundaria. Habían venido a Austin de todo el mundo para el festival anual South by Southwest (SXSW)—el festival de música, cine, educación, y tecnología más grande del planeta. El público de SXSW en nuestro campus esa tarde era una mezcla de educadores, innovadores, artistas, emprendedores y líderes de fundaciones, todos curiosos por cómo se veía Acton Academy por dentro, la pequeña escuela que estaba acaparando miradas como una disruptiva en educación. Para el evento, habíamos invitado a los dueños de Acton Academies de todo el mundo para que compartieran sus historias en un panel de discusión después del convivio.

Miré el mapa que colgaba de la pared del estudio. Había cuarenta y siete banderitas rosa brillante que marcaban nuevas localidades de Acton Academy en Estados Unidos y en Canadá, Guatemala, El Salvador, Malasia, Honduras, Panamá, Inglaterra, y más allá.

Pensé en el 2009, cuando estaba sentada con siete niños y dos guías en nuestra alfombra verde de alcachofa, y reí. La escena frente a mí no había sido parte del plan. Simplemente estábamos haciendo lo que pensamos que era lo mejor para nuestros hijos, construyendo el avión conforme lo volábamos, cada día escribiendo el plan para el día siguiente, y esperando que nuestras siete Águilas Acton se mantuvieran en vuelo.

Acton Academy había crecido más allá de nuestra dulce escuelita en algo más grande. Y este crecimiento no tenía nada que ver con nosotros. La historia de Acton ya no era nuestra historia. Ni siquiera era una historia sobre la escuela, en realidad. La historia trataba sobre el indomable espíritu humano y las creencia que todos los padres—de todos los estilos de vida y culturas—valoran. Creen que sus hijos merecen encontrar su llamado y experimentar la vida como un viaje de héroes, una aventura llena de amor, pasión, significado, y felicidad. Aunque cada Acton Academy tiene su propio estilo e imagen, hay algo que comparten—y pueden sentirlo cuando entran a cualquiera de ellas. Es una chispa de energía positiva que demuestran los niños, sin importar la hora del día. "¿Por qué están los niños tan felices aquí?" preguntó uno de los invitados.

Cité el primer comentario de Matt Clayton cuando vio a los niños en nuestro campus- "Porque la libertad ennoblece."

. . .

Un panel de valientes

Los invitados vieron que Jeff se acercó a la fila de siete bancos colocados enfrente del estudio. Guardaron silencio mientras se preparaba para hablar.

"Están en terreno sagrado," dijo. "Aquí es donde el aprendizaje es atesorado y honrado por encima de todo. Las Águilas de Acton lo han declarado como propio y lo protegen ferozmente. Todos somos invitados aquí, incluyendo Laura y yo.

"He invitado algunos valientes para que pasen al frente y se sienten en estos bancos. Han comenzado sus propias comunidades enfocadas en el estudiante—sus propias Acton Academies—solo con un kit que aún está en desarrollo, unas promesas, algunos principios compartidos y—lo más importante—la creencia común que cada niño es un genio. Por favor den la bienvenida a algunos de los dueños de Acton Academy alrededor del mundo."

Jeff los presentó, se puso a un lado y dijo, "Son todos suyos. Esta es su oportunidad de preguntarles lo que quieran."

Las preguntas comenzaron a volar.

"¿Por qué comenzaron Acton Academy?"

Joey Bynum, co-dueño, junto con su esposa, Jayme, de Acton Academy West Austin, aprovechó la oportunidad para compartir su historia. "Estaba estudiando un MBA en la Escuela Acton de Negocios en el 2013. Estábamos compartiendo el campus con Acton Academy," dijo. "Entonces, Jayme y yo estábamos buscando una escuela para nuestro hijo," continuó, "y estaba pensando, wow, estos niños en Acton Academy están haciendo cosas que yo apenas estoy aprendiendo, ¡y yo estoy en maestría! ¿Por qué los niños no tienen este tipo de aprendizaje más temprano?

Esa pregunta fue suficiente para que Joey y Jayme lanzaran la segunda Acton Academy de Austin.

Nuestros viejos amigos, Juan y Ana Bonifasi, se sentaron en bancos junto a Joey y describieron por qué habían llevado Acton a Guatemala. Junto a Juan estaba Mike Olson de Talent Unbound, el afiliado de Acton en Houston. Alto y delgado, Mike hablaba rápidamente y apenas podía contener su optimismo.

"Cuando vi las oportunidades que tenían mis hijos en un sistema tradicional, vi que les hubiera ido bien. Hubieran obtenido buenas calificaciones, participado en deportes, e ido a la universidad. Pero vi hacia el futuro y la economía que viene y nuestras expectativas para el futuro—y como iban a cambiar con la inteligencia artificial y la automatización." Dijo que vio como la brecha crecía rápidamente entre las habilidades tradicionales que se enseñan en los sistemas tradicionales y las que necesitarán.

"Quería que mis hijos estuvieran en un lugar donde hubiera creatividad, independencia, y libertad," dijo. "Quería apertura. Quería que lidiaran con la frustración y la ambigüedad. Quería que trazaran su propio camino." Rob Huge, vestido con una camisa a cuadros y pantalones khaki, añadió: "No le digan a mis hijos, pero no lo hice por ellos." La audiencia rió.

Rob llamó a la filial de Acton en Chicago "Greenfields Academy." Estaba teniendo mucho éxito con jardín de niños, primaria, y secundaria. "Quería dedicarme a trabajar en algo que fuera a tener un impacto significativo en el mundo."

Una mano se levantó al fondo del estudio. "¿Qué ideas equivocadas han encontrado respecto a Acton Academy?"

Veronica Klugman, una dueña de Acton de Tegucigalpa, Honduras—su largo y brillante cabello negro cayendo detrás de sus hombros—se sentó derecha en su banco. Aunque tenía una voz suave, su estilo racional y directo imponían respeto.

"La gente piensa que no damos calificaciones," dijo. "Pero si lo hacemos. Todas las calificaciones que damos son de 100, porque no cambiamos de tema hasta que el niño lo domine. No es suficiente obtener 80 en matemáticas. Ese no es dominio. El cien por ciento demuestra que has dominado la habilidad."

Joey añadió, "He lidiado con la idea que la gente piensa que la vida en Acton es una vida de extremos—o los niños están colgados del techo, jugando, o que el aspecto académico es ultra riguroso y está manejado hasta el cansancio. Ninguna es verdad."

Mark Klugman, esposo de Veronica y co-dueño de Acton Academy Honduras, se sentó entre los invitados, su bastón de madera junto a su silla, y comenzó a hablar, describiendo el ambiente en una Acton Academy.

"Acton es movimiento," dijo. "Si visitan una escuela Montessori o una escuela tradicional, verán que no ha cambiado mucho en los últimos cincuenta años. Pero en Acton, estamos cambiando tan rápido como tu teléfono, por que así es como funciona el mundo. No hay burocracia. Esta es una directriz consciente para el modelo, que nos permite estar en continuo cambio. Lo único que permanece igual a lo largo del tiempo son sus principios."

Luego vino la siguiente pregunta: "¿Qué tipo de familias atraen?"

"Aproximadamente un tercio de nuestras familias vienen de escuelas públicas, otro tercio de escuelas privadas, y otro tercio ha sido educado en casa," respondió Mike. La respuesta de Juan fue menos cuantitativa. "Padres responsables—padres que quieren tomar responsabilidad de su propio aprendizaje y del de sus hijos," dijo.

Jeff añadió: "Le pedimos a los niños y a los padres que participen en su propio viaje de héroes. Los que no quieren hacer eso se van—porque el camino de un héroe es muy difícil. El periplo del héroe es simple. Significa que si tropiezas, te levantas y sigues en el juego. Los héroes no siempre ganan, pero siempre se levantan. Los padres que están dispuestos a dejar que sus hijos fracasen, pero que les dan un abrazo y les dicen, 'te amo, intenta de nuevo'—estos son los padres que queremos."

Un hombre alto con la cabeza rasurada y una barba entrecana, con su gafete de SXSW prendido a su chamarra de cuero negro, preguntó, "¿Qué pasa en la mente de los niños cuando llegan aquí por primera vez después de estar en una escuela tradicional?"

"Lo llamamos 'choque de libertad,'" respondió Rob. "Ellos llegan y esperan a que alguien les diga qué hacer. Cuando un niño llega aquí después de haber estado en un sistema tradicional donde se les dice qué hacer y cuándo, hemos visto que les toma casi un mes por cada año que pasaron en un ambiente tradicional para empezar a desenvolverse en nuestro sistema."

La historia de Joey trajo recuerdos de nuestros primeros años con la secundaria. "Comienzan con escepticismo," dijo. "Voltean a ver si hay un adulto, una autoridad, en el cuarto. Y piensan que en cualquier momento para decirles que hagan o no hagan algo. Luego se sorprenden cuando su vecino, otro estudiante, dice, 'Hey, estas faltando al contrato en la pared. Me debes un Eagle Buck por eso.' Después de eso, no vuelven a buscar a un adulto en el cuarto."

Ana Bonifasi habló: "Nuestra hija, Isabella, dos meses después de entrar a Acton Academy después de estar en una escuela tradicional, nos dio las gracias. Dijo, 'Mamá, Papá, gracias por abrir Acton. Por primera vez, estoy pensando por mí misma.'" Esto despertó los aplausos de la audiencia.

Después de varias preguntas, Jeff miró el reloj. Era momento de terminar. Teníamos tiempo para una pregunta más.

"¿Cómo funciona esto con niños que tienen problemas de aprendizaje?" Jeff estimó que quizá un tercio de nuestras Águilas tenían algún tipo de trastorno por déficit de atención e hiperactividad. Solían tener que moverse más seguido o cambiar de tareas para trabajar duro.

"También tenemos niños con dislexia leve. No somos expertos, y cuando es necesaria una intervención profesional, trabajamos con los padres para encontrar la forma en que el niño permanezca en el estudio y obtener apoyo en casa o después de la escuela para seguir progresando y participando dentro del contrato del estudio."

Veronica compartió su historia: "Creo que muchos problemas de aprendizaje están relacionados con el estrés que pueda sentir el niño," dijo. "Teníamos una estudiante que cada diez minutos hacía una pirueta. Nos preguntábamos si su otra escuela, que era muy tradicional, permitía esto. No lo permitían. ¿Qué hacía entonces? Ella dijo, 'Me mordía la lengua.'

"Después de tres meses en Acton, no hace piruetas, y ciertamente no tiene que morderse la lengua para quedarse quieta," dijo Veronica. "Llegó a nuestra escuela en segundo año y no sabía sumar, porque toda su energía estaba enfocada en lidiar con el estrés. Ahora es muy buena en matemáticas y está aprendiendo."

"¿Cómo convencen a los padres que creen en la educación tradicional a que vengan aquí?"

Los dueños se miraron uno al otro. Casi al unísono respondieron, "No lo hacemos."

Me di cuenta de lo que Jeff y yo hicimos al comenzar Acton Academy. Todo lo que hicimos fue dar un mensaje simple: Hay una nueva idea. Funciona.

Ahora otros están llevando la antorcha para que encienda rincones oscuros en lugares lejanos.

Un tesoro inusual (y un poco de magia para los padres)

La reunión de invitados curiosos en SXSW me puso a pensar. Mientras que estoy fascinada y energizada por las preguntas que continúan surgiendo durante este camino—preguntas sobre motivación humana, cultura, y el aprendizaje mismo—hay un tesoro que he descubierto que afectará el resto de mi vida

No es el tesoro que estaba buscando. Tampoco es el que quería. No incluye riqueza, ni comodidad, ni éxito y no tiene nada que ver con el éxtasis de la vida y del aprendizaje. Mi tesoro es sobre la agonía. Finalmente descubrí en un nivel personal lo que significa realmente la pasión y no quiero nada menos que abrazarla. Significa que habrá sufrimiento en el camino. No quiero el sufrimiento. Pero es una parte necesaria de la verdadera experiencia de la pasión. No buscaré evitarlo, y no le temeré.

Este tesoro se ha convertido en mi mantra mágico no solo para construir una comunidad de aprendizaje, pero también para ser una madre feliz y próspera. Ahora puedo decir con total convicción, "El esfuerzo te enseñará lo mejor sobre ti misma."

Si a los niños se les da espacio para esforzarse, batallar y encontrar las respuestas por sí mismos, y si tienen el apoyo de un mentor, par, o guía que los conoce y los hace responsables, aprenderán más de lo que imaginamos.

¿Cómo pueden hacerse de este espacio? Debo recordar que debo hacerme a un lado. Esperar a ser sorprendida en vez de estar en lo correcto. Solo entonces descubriré las maravillas de la vida diaria. Esto es abundancia. Es la esencia del viaje de héroes—y una verdad biológica y espiritual del ser humano.

Pude aprender esto por una razón. Y fue nuestra primera idea. La más loca, audaz de todas: Confía en los niños.

Epílogo

DE VUELTA A CASA

El evento de SXSW había terminado. El sol se había posado en nuestro campus y el estudio estaba vacío y en silencio. Pero el aire estaba pleno. La energía de personas pensantes y creativas reunidas para celebrar la maravilla del aprendizaje aún estaba en el ambiente.

Apagué las luces del estudio y caminé sola a mi automóvil. Como todos los buenos introvertidos, ansiaba el silencio del camino a casa después de la intensa interacción durante el día. Esperaba que este momento fuera de felicidad. De paz. Habíamos logrado mucho. Pero no era. Sentía que algo me faltaba, pero no sabía qué. ¿Qué era esa sensación de vació?

Era Charlie.

Ahora más que nunca, lo extrañaba en Acton.

Escuchar todas esas historias sobre Acton y ser testigo de tantas personas abrazando la innovación en la educación hicieron que su partida doliera aún más. ¿Cómo podía perderse esto? ¿Por qué está sentado todo el día en su escritorio recibiendo órdenes? En los meses después que Charlie se hubiera ido, perdió su amor por la lectura, una tragedia que yo no podía soportar. Y estaba preocupado por sus preguntas en los exámenes—como saber el año en que nació Shakespeare. También le causaba mucho estrés perderse un día de escuela, incluso para hacer parapente, su gran pasión. Había obtenido su licencia para volar solo a los trece años, y tomarse un fin de semana largo para volar era una oportunidad natural cuando estaba en Acton, igual que otras Águilas se tomaban días si participaban en una obra de teatro local o si tenían la oportunidad de viajar con sus familias. "Cinco puntos de mi promedio total," me dijo, "si pierdo otro día de clases."

Aún más triste fue darme que cuenta que temía tomar una postura divergente en las discusiones en su nueva escuela. "El maestro tiene respuestas correctas e incorrectas en las discusiones. Si tomas la postura que él ve como 'incorrecta', te corrige," explicó. Luego describió cómo los estudiantes inmediatamente preguntaban al maestro el significado de una sección de la lectura si no la entendían. Y el maestro daba la respuesta. No había lucha para tratar de entender la respuesta. No había lucha para entender y debatir ideas entre ellos.

En Acton, aprender a estar respetuosamente en desacuerdo era una de las grandes seguridades de las discusiones socráticas. Por otro lado, vi lo bien que se ajustaba a los maestros y tareas en una escuela más grande. Había demostrado a sí mismo que era capaz de aprender en un ambiente tradicional. Podía llegar a un lugar lleno de gente que no conocía y sobrevivir sin problemas. Podía hacer amigos y competir en fútbol y atletismo. Y estaba obteniendo excelentes calificaciones.

"Es su sensación de no ser adecuado lo que me rompe el corazón," dijo Jeff.

"Nunca antes mi hijo se había sentido inadecuado hasta que estuvo en un sistema basado en memorización, obediencia, y clasificación estandarizada del intelecto." Le recordé que este era el camino de Charlie. Y como le he dicho a muchos padres a lo largo de los años, "Cada persona tiene su camino. Acton Academy no siempre es parte del camino."

. . .

Me estacioné en la entrada. Las luces de la cocina estaban encendidas, y vi a Sam y Charlie sentados conversando en la mesa de la cocina, donde planeamos la primera Feria de Negocios de los Niños, que ahora, al igual que Acton, ha tomado una vida propia. Habíamos tenido más de mil clientes y 115 puestos en nuestro patio este año. Hicimos un kit para eso, también, y ahora ha más de cincuenta Ferias de Negocios de los Niños en todo el país.

Apagué el motor y me senté en la oscuridad, observándolos por la ventana. Esta ha sido una aventura desordenada, pensé. Y en los primeros años de Acton, estaba jugando ofensiva o defensiva, empujando o peleando con los detractores. Ojalá hubiera sabido amar el desorden, la ambigüedad y las preguntas. En vez de ello, me sentía miserable mientras sobre-explicaba nuestra idea y métodos a padres, vecinos y amigos.

Era necesario que los niños—las Águilas de Acton—estuvieran a la altura de las circunstancias, abrazando la libertad y la responsabilidad con gusto, para hacerme libre. Fueron los niños quienes me enseñaron a ser madre. Ellos fueron los que tuvieron el valor para crecer.

. . .

Tres días después, Jeff y Charlie salieron a un viaje de cuatro días de vuelo en parapente durante las vacaciones de primavera de Charlie. La noche del domingo, cuando regresaron a cada, nuevamente vi aquellas chispa en los ojos de Charlie, esa mirada de emoción y claridad que parecía tener durante los días de Acton. Había probado la emoción del vuelo y no podía borrar la sonrisa de su rostro mientras describía su fin de semana. Ese era el Charlie que extrañaba—libre y viviendo al máximo, sin miedo, y dispuesto a saltar al vacía para obtener lo que quería.

Pero la realidad es dura. Nos fuimos a dormir, y en un parpadeo la alarma estaba sonando a las 5:45 a.m. No podíamos negar que las vacaciones habían terminado. Era momento de llevar a Charlie a su vida escolar altamente estructurada.

Manejamos a la escuela en silencio, y lo dejé en la escuela con el corazón adolorido. Sus labios formaron una línea apretada—una expresión de resignación.

"Te amo, Charlie."

"Gracias, Mamá," dijo. "Nos vemos más tarde."

Lo recogí a las 3:15, después de una rutina a la que me había acostumbrado a querer y aceptar, pues representaba un viaje de 30 minutos a solas con mi hijo. Escuchábamos comentaristas en la radio, los locutores comentando la batalla del ayuntamiento de Austin por traer asequibilidad y tráfico más fluido a una ciudad que continua creciendo. El amor de Charlie por la charla política no había disminuido, pensé mientras lo escuchaba argumentar en voz alta con las voces en la radio.

Cuando llegamos a casa, el automóvil de Jeff ya estaba ahí.

"Llegó temprano a cada," le dije a Charlie.

"Bien," respondí,

Él salió del auto y entró antes, al momento que yo recogía el correo y acariciaba a los perros. Para cuando entré en la cocina, nuestro mundo había dado un giro que no me había permitido imaginar.

"Va a dejar esa escuela," dijo Jeff.

"¿Qué?" pregunté, anonadada

"Es verdad, Laura, me lo acaba de decir," dijo Jeff. "Charlie regresa a Acton."

Charlie simplemente entró a cada y le dijo a Jeff que quería regresar a verdaderas prácticas, aprendizaje en línea, leer más libros profundos y escribir algo digno de publicación. Le dijo que quería obtener su licencia de piloto cuando cumpliera dieciséis años e ir a la universidad al salir de la preparatoria. Le dijo que creía que podía hacer más que estar sentado en un salón para lograrlo.

Con eso, dejé el correo y mi bolso en el suelo. Caminé hacia Jeff. Nos abrazamos, sacudiendo nuestras cabezas, asombrados. Charlie había hecho lo que quería hacer. Necesitaba saber que podía aprender de maestros, presentar exámenes y cumplir con los estándares de preparación para la universidad. Se había probado y ahora regresaba a cada. La escuela que sus padres habían fundado ahora tenía sentido, en términos reales, para este joven.

Taite, también, había necesitado espacio para descubrir más de sí misma. Ahora iba a la universidad y se nos unía en cenas familiares semanales, reconectándose con sus hermanos y abriéndose a sus sueños y miedos. A lo largo de todo esto, Sam continuaba siendo nuestra ancla en casa y en el estudio. No todos necesitan irse para descubrir quienes son.

Y Charlie decidió esperar y decirle primero a su padre. Me lo pudo haber dicho en el camino a cada esa tarde, o esperar hasta que cruzara la puerta, pero quería que Jeff lo escuchara primero de él, a solas. El significado no se me escapaba. Qué regalo para un padre que había sufrido lo que se sentía como la pérdida de su hijo durante meses. Este es un buen regalo al regreso de un héroe.

Ahora Charlie tomaría nuevamente las riendas de su educación, lideraría su aprendizaje y seguiría sus sueños. Ahora era libre. Mejor aún, ahora podía volar.

AGRADECIMIENTOS

Yo soy solamente el conducto mediante el cual se cuenta la historia de Acton al mundo. Este libro no hubiera sido posible sin la ayuda de las siguientes personas que me enseñaron muchísimo.

Agradezco a Harry Jaffe por sus incesantes preguntas y por su paciencia. Le agradezco por animarme a escribir y luchar por mi historia. Estoy en deuda con Clint Greenleaf, un genio que trabaja duro e hizo este libro una realidad tangible.

Ken DeCell, Jane Rosenman, Sheila Parr, Thom Lemmons, Elizabeth Brown, Sheila Youngblood, y Reese Youngblood me enseñaron que la vida es mucho mejor con editores y diseñadores. Estas personas generosas, trabajadoras y talentosas elevaron mi escritura y diseño del libro a un mejor lugar.

Marcy Carpenter, Jeff Carpenter, Becca Cody, Divit Tripathi, Lauren Kubacki, Yolanda King, y Kelvin King son padres de Acton Academy desde hace mucho tiempo, y se reunieron conmigo para compartir sus historias personales. Son ejemplo de personas sin miedo a aprender, amar, y crecer junto con sus hijos. Les agradezco por ser mis compañeros de viaje en este camino. No olvidaré lo que dijo Kelvin cuando reflexionaba sobre su primer día en Acton Academy: “Busqué alrededor del cuarto un rostro que se pareciera al mio. No lo encontré. Pero cuando vi cuidadosamente vi mapas, globos terrestres y la declaración de principios de Acton. Vinimos a esta escuela no porque nos parecemos o vivimos de la misma manera, sino porque creemos en los mismos principios fundamentales de libertad, justicia, y valor individual. Estamos unidos por nuestras creencias comunes, no por nuestra herencia." Creo que esta es la razón por la que nuestra idea se dispersa más allá de nuestra comunidad y nuestro país.

Mis queridas hermanas y amadas amigas—Kirstin Lee, Michelle Webb, Nicole Barr, Laurie Haddow, y Caroline Wilson—mantuvieron encendida la luz que me trajo a casa cuando estaba perdida en la oscuridad. Les agradezco por no permitirme quedarme ahí y esconderme.

Acton Academy refleja más de mis padres, Mike y Joanna Anderson, que lo que ellos nunca sabrán. Su confianza y creencia en mí fue el inicio de este trabajo. Aunque mi madre no vivió para ver los frutos, su espíritu de aventura corre a través de esta historia. Le di a mi padre la dolorosa tarea de leer el primer borrador de este manuscrito. Pobre hombre. Le agradezco la gentil y honesta retroalimentación que me llevó a comenzar de nuevo.

Agradezco a Lolly Anderson por ayudarme a tomar una decisión sobre el diseño de la portada del libro y por su habilidad para ayudarme a relajarme y reír. Le agradezco su apoyo en cada momento.

Heather y Allan Staker son unas estrellas de rock en mi mundo. Las palabras no pueden expresar adecuadamente mi gratitud por haber trasplantado a su gran familia y unírseme en este camino sin saber a dónde llevaría. Les agradezco por compartir su historia personal con generosidad y por llevar el kit de la Feria de Negocios de los Niños a todo el mundo.

Matt y Maria Clayton persistieron en animarme a escribir esta historia. Les agradezco por su infinita devoción a los ideales de Acton y su insistencia que otros necesitaban conocer nuestra historia de origen. El mundo es mejor por que estas dos personas están en el.

Agradezco a Bodhi, Ellie, Chris, Cash, Saskia, y Libby por permitirme encender un poco de luz en sus caminos. Estas personas van a cambiar el mundo. Gran parte de mi inspiración vino de de las brillantes mentes de los héroes cuyas ideas disfruto escuchar y leer: Steven Tomlinson, Clark Aldrich, Sugata Mitra, Seth Godin, Tom Vander Ark, Bernard Bull, Ted Dintersmith, Dan Peters, Kimberly Watson-Hemphill, Clayton M. Christensen, Jane McGonigal, Salman Khan, Carol Dweck, y Maria Montessori, por mencionar algunos.

Juan y Ana Bonifasi, Dani y Russ Foltz-Smith fueron los valientes pioneros que caminaron con nosotros y compartieron sus historias. Ellos utilizaron nuestro kit en sus inicios—que realmente no eran kits, sino una pila de papeles desorganizados. Siempre estaré agradecida y sorprendida con ellos. Agradezco a los nuevos dueños de Acton Academies alrededor del mundo, ahora demasiados como para mencionarlos en este pequeño espacio. Cada día, ellos miran a los niños a los ojos y les dicen, "Eres muy especial. Tienes dones que todo el mundo necesita." Y luego los dejan libres para encontrar esos regalos. Tomaron nuestra idea y la hicieron mucho mejor. El mundo necesita del valor y perseverancia de estas personas.

Nuestro equipo en Austin, tan comprometido con nuestra misión, me revela cada día que cuando los adultos toman un paso atrás, los niños se levantan como héroes. Me dieron el tiempo y el espacio lejos del campus para terminar este libro y me animaron en cada momento—Agradezco a Samantha Jansky, Janita Lavani, Reed Youngblood, Rob Bakhshai, Justin Moss, Chase Pattillo, y Ben Bazan.

Rachel Davison Humphries, Kaylie Dienelt Reed, y Anna Blabey Smith fueron nuestro equipo en los primeros días de Acton Academy. Dijeron "sí" al camino sin tener una idea de en qué se estaban embarcando y fueron integrales para nuestro desarrollo. ¿Cuánta suerte tuve de trabajar con gente tan maravillosa?

Y no ocurriría nada bueno en el mundo sin los artistas. Desde nuestro primer año, dos en particular nos han ayudado a pavimentar un nuevo camino para crecer la creatividad y el espíritu de los niños. Nat Miller despierta la curiosidad y la alegría a través de las artes teatrales. El amor y visión creativa de Zoey Upshaw llama al artista interno de cada Águila. Estoy agradecida de que tuvieran el valor de experimentar junto con nosotros.

Detrás de este libro hay muchas almas valientes—los padres y los niños que se han unido a Acton Academy a lo largo de los años. Estén aún con nosotros o no, hemos aprendido mucho los unos de los otros. Les agradezco por creer en una idea que se basa en los temas del amor, confianza, riesgo, recompensa, libertad, y responsabilidad.

Nuestros hijos—Charlie, Sam, y Taite—son la razón de la existencia de Acton Academy. Les agradezco el haber sido mi grupo de enfoque, mi alegría y mis maestros. Les agradezco por escuchar a las voces conocedoras en su corazón y utilizarlas para retarme y cambiarme. Les agradezco el haber sido lo suficientemente humildes y vulnerables para darme permiso de compartir sus historias personales. No podría estar más agradecida por quienes son y porque puedo vivir mi vida con ellos. Los amo a cada uno sin medida.

La forma en que Jeff Sandefer me ama me da valor para crecer. Le agradezco por empujarme a través del proceso de poner nuestra historia en papel. Es un milagro que nos hayamos encontrado en esta Tierra y le agradezco a Dios cada día por este increíble regalo.

Desde el inicio del tiempo y hasta el final de los días, habrán algunos humanos que simplemente no puedan resistir el llamado y dirán "si". Como ciudadana del mundo, estoy agradecida.

Apéndice A

MISIÓN, PROMESAS, Y CREENCIAS *de* ACTON ACADEMY

NUESTRA MISIÓN:

Creemos que cada persona que entra en Acton Academy encontrará un llamado que cambiará al mundo.

NUESTRAS PROMESAS:

Prometemos que a través de la guía socrática y el aprendizaje experiencial animaremos a cada miembro de nuestra comunidad a:

Iniciar su viaje de héroe

Descubrir sus valiosos dones y compromiso con la excelencia

Convertirse en un aprendiz curioso e independiente de por vida

forjar un carácter fuerte

Apreciar las artes, el mundo físico, y los misterios de la vida

Atesorar la libertad política, económica y religiosa

NUESTRAS CREENCIAS

Creemos que cada persona tiene un don que cambiará profundamente el mundo.

Creemos en aprender a aprender, aprender a hacer, y aprender a ser.

Creemos en un familia unida de aprendices de por vida.

Creemos en la libertad política, económica y religiosa.

NUESTRA FILOSOFÍA EDUCATIVA:

Creemos que un pensamiento claro lleva a buenas decisiones, las buenas decisiones llevan a los buenos hábitos, y los buenos hábitos forman el carácter, y el carácter determina el destino.

NUESTRO MODELO ECONÓMICO:

Creemos en una comunidad autodirigida, liderada por nuestros héroes; a un costo que casi cualquier familia puede pagar. En nuestro campus en Austin, Texas, fijamos el precio de la colegiatura por debajo del valor de mercado de una escuela privada. Nuestras familias pagan diez mil dólares por un año escolar de once meses. Somos una organización 501(c)(3) (organización educativa exenta de impuestos); sin embargo, cada Acton Academy es libre de establecer su modelo de negocios y estatus fiscal de forma independiente.

NUESTRO MODELO DEL TAMAÑO DEL ESTUDIO:

Creemos que el modelo de Maria Montessori sobre el tamaño ideal del salón con edades mixtas funciona. Ella dijo, "Consideramos que en la mejores condiciones, los grupos deben ser de 28 a 35 personas, pero podría ser un numero mayor." Con eso en mente, diseñamos cada estudio de Acton Academy (primaria, secundaria, y preparatoria) para hospedar a treinta y seis estudiantes con un guía principal y un guía en entrenamiento, entendiendo que los aspectos principales del aprendizaje ocurrirán entre los mismos estudiantes en pequeños grupos de edades mixtas.

Apéndice B

CONTRATO DE ESTUDIANTES *de* ACTON ACADEMY *2009–2010*

Estoy en el viaje de héroes.

Aunque haya dificultades, no me rendiré, porque soy valiente.

Seré honesto conmigo mismo y con los demás sobre la forma en que llevo este camino.

Haré todo lo posible por lograr mis metas y me pondré nuevas metas.

Probaré cosas nuevas que nunca he hecho antes, incluso cosas para las que no soy muy bueno, para descubrir nuevos talentos.

Impulsaré a otras personas en sus caminos, pero me aseguraré que quieran y necesiten mi ayuda.

Cuidaré las cosas a mi alrededor que me ayudan a vivir y aprender.

Cuidaré mi cuerpo, mi cerebro, y mi corazón al darles las cosas que necesitan para crecer y estar saludables, como ejercicio, información, retos, y amor.

Nunca dejaré de creer en mí.

Apéndice C

EL PERIPLO *del* HÉROE

Ilustración por Bruno lubrano Di Giunno

Apéndice D

ACTON ACADEMY
Lista de lectura para los padres

- **Unschooling Rules**, Clark Aldrich
- **NurtureShock**, Po Bronson
- **An Ethic of Excellence**, Ron Berger
- **The 3 Big Questions for a Frantic Family**, Patrick Lencioni
- **The Gifts of Imperfection**, Brené Brown
- **The One World Schoolhouse**, Salman Khan
- **Mindset**, Carol S. Dweck
- **Your Three-Year-Old**, Louise Bates Ames, PhD (*Each book for each age*)
- **A Thomas Jefferson Education**, Oliver DeMille
- **The Talent Code**, Daniel Coyle
- **Choice Words**, Peter H. Johnston
- **The Price of Privilege**, Madeline Levine, PhD
- **Montessori: The Science Behind the Genius**, Angeline Stoll Lillard

- **10 Conversations You Need to Have with Your Children**, Shmuley Boteach
- **The Smartest Kids in the World and How They Got That Way**, Amanda Ripley
- **Getting Smart**, Tom Vander Ark
- **Mastery: The Keys to Success and Long-Term Fulfillment**, George Leonard
- **2,002 Ways to Show Your Kids You Love Them**, Cyndi Haynes
- **Influencer**, Kerry Patterson, et al.
- **Crucial Conversations**, Kerry Patterson, et al.
- **The Dream Manager**, Matthew Kelly
- **Most Likely to Succeed**, Tony Wagner, Ted Dintersmith
- **The Gift of Fear**, Gavin de Becker
- **The Happiness Hypothesis**, Jonathan Haidt
- **Reality Is Broken**, Jane McGonigal
- **Blended: Using Disruptive Innovation to Improve Schools,** Michael Horn, Heather Staker, and Clayton M. Christensen
- **Ungifted: Intelligence Redefined**, Scott Barry Kaufman
- **Stop Stealing Dreams,** Seth Godin

Apéndice E

IDEAS *para* GUIAR MATEMÁTICAS *de* FORMA SOCRÁTICA

por Jeff Sandefer

INTRODUCCIÓN

La meta de la guía socrática es ayudar a alguien más a aprender a pensar más claramente. En otras palabras, las preguntas y las dificultades son más importantes que las respuestas.

CLAVES PARA EL MÉTODO SOCRÁTICO

A continuación hay unas claves para usar el método socrático en matemáticas:

No hay atajos. Se tiene que hacer el trabajo básico primero. Pregunta, "¿Ya viste los videos de Khan Academy?" y "¿Qué problemas has tratado de resolver? Si la persona no ha hecho el trabajo, no pueden ayudarle.

Recuerden que la meta de las preguntas socráticas no es ayudar a obtener las respuestas correctas. Es acompañarlos en el camino mientras aprenden a pensar más clara y críticamente. Las buenas preguntas socráticas se enfocan en el proceso de resolver un problema o tomar decisiones, nunca en las respuestas.

EJEMPLOS DE PREGUNTAS SOCRÁTICAS

- ¿El problema a resolver es simple o complejo?
- ¿Puedes replantear el problema con tus propias palabras? ¿Qué información sabes? ¿Qué información estás buscando? ¿Por qué es importante?
- ¿Es más difícil plantear el problema correctamente o resolverlo una vez que está planteado?
- ¿Se requieren pocos o muchos pasos para resolver el problema?
- ¿Cuál es el paso más complicado para resolver el problema?
- ¿Necesita realizar un seguimiento de las respuestas intermedias en un forma organizada? ¿Cómo harás ésto?
- ¿El reto más grande es no entender el proceso, o llevar un registro cuidadoso de la aritmética para que no cometas errores por descuido?
- ¿Consideras que estas habilidades son difíciles o fáciles? ¿Por qué?
- ¿A qué otra habilidad matemática se parece? ¿Por qué?
- ¿Cómo podemos usar esto en el mundo real?
- ¿Cuáles son los siguientes pasos que tomarás para dominar este problema?

- ¿Hay alguna distracción que puedo ayudarte a eliminar para que puedas resolver esto?
- ¿Estás en el estado mental correcto para atacar este problema? Si no, ¿qué necesita cambiar? ¿Es necesario poner una fecha límite y un tiempo para que estudies por ti mismo?

REGLAS PARA LAS DISCUSIONES SOCRÁTICAS

- Llega a tiempo y preparado.
- Escucha con atención.
- Toma una postura.
- Construye sobre comentarios previos.
- Se conciso.
- Provee evidencia y ejemplos.

Apéndice F

CONVERSACIÓN *con* EL DR. STEVEN TOMLINSON, MAESTRO SOCRÁTICO EXPERTO

P: ¿Por qué enseñar sólo con preguntas, nunca con respuestas?

ST: Una buena pregunta inspira el aprendizaje.

P: ¿Qué es la inspiración?

ST: Es la fusión de la dirección y la motivación—y la energía liberada.

P: ¿De dónde viene la dirección?

ST: Son señales cuidadosamente colocadas por alguien que ya ha explorado el camino.

P: ¿Y la motivación?

ST: Viene de la alegría del descubrimiento y el deseo de saber y de la voluntad para ser poderoso y juguetón al mismo tiempo, como el maestro que hace preguntas antes de saber la respuesta.

P: ¿Qué es una buena pregunta?

ST: Es tomar algunas de las piezas faltantes del rompecabezas y ponerlas a la luz. "¿Qué pasará?" Seguirlas fuera del camino, ¿A dónde nos dirigimos? ¿A dónde vamos? ¿Qué tan lejos podemos llegar? Una llamada al valor "¿Cuál escogerías?"

P: ¿Cómo me convierto en un buen maestro?

ST: ¿Qué tipo de respuestas estás buscando? Antes de la técnica viene la intención. Deja de intentar impresionar a los estudiantes. Deja de intentar ayudarles. Comprométete a estar con ellos y disfrutar a los estudiantes y el riesgo de aprender junto con ellos.

Apéndice G

GENERALIDADES *del* SISTEMA DE INSIGNIAS *de la* SECUNDARIA *de* ACTON ACADEMY *y la Plataforma de Lanzamiento*

Introducción

La meta de la Secundaria y Launchpad (Preparatoria) de Acton Academy es permitir a las Águilas capacitadas asistir a una universidad selectiva mientras se preparan para su nueva aventura en la vida. Como parte de esto, las Águilas deben obtener insignias que puedan convertirse en un kárdex tradicional requerido para ser admitidos en una universidad. Deben también responder a cuatro preguntas importantes:

¿QUIÉN SOY?

> ¿Cuáles son mis dones, habilidades, pasiones, próximos pasos? ¿Qué me empuja? ¿Cómo aprendo mejor? ¿Cómo cuidaré y protegeré mi vida interior y mi salud?

¿CUÁL ES MI LUGAR?

¿Tengo un entendimiento profundo del mundo? Considerando las lecciones de la historia, economía, política, y geografía, ¿dónde viviré, y cómo me destacaré?

¿CUÁL ES MI "LLAMADO"?

¿Cuál será mi próxima aventura en la vida, y cómo utilizaré mis dones y pasión para resolver una necesidad apremiante del mundo?

¿A QUIÉN SERVIRÉ COMO LÍDER?

¿Tengo las preguntas, herramientas, y habilidades que necesito para convertirme en un líder "nivel cinco", formar relaciones saludables, y negociar para resolver conflictos?

El sistema de insignias apoya el camino de autodescubrimiento, excelencia, búsqueda del llamado, y liderazgo en tres maneras principales:

Aprendizaje autodirigido: Debido al sistema modular y a la libertad que tienen las Águilas para tomar decisiones en un sistema de insignias, las Águilas pueden ajustar su aprendizaje y avanzar por los temas a su propio paso. Esta libertad y las frecuentes celebraciones cuando las Águilas obtienen las insignias mantienen alta la curiosidad y la motivación. Los requisitos para manejar el tiempo y trazarse metas a largo plazo, aunque difíciles a veces, pueden ser los resultados más importantes del sistema de insignias.

Responsabilidad y Calidad: Las insignias hacen más fácil que las Águilas y sus padres puedan mantenerse al corriente del progreso individual y monitorear la calidad.

Habilidad para Demostrar la Excelencia a Otros: Las insignias pueden utilizarse en un portafolio para obtener unas prácticas transformadoras o impresionar a un reclutador universitario. Además, los logros dentro del sistema de insignias puede ser reacomodados en la forma de un Portafolio tradicional para beneficio de los departamentos de admisiones de las universidades, sin que estos requerimientos tradicionales disminuyan el aprendizaje que se lleva a cabo en Acton.

Descripción de las Insignias Individuales

Como parte de la celebración del aprendizaje que ocurre en Acton Academy, el trabajo se coloca bajo las siguientes insignias, que luego pueden convertirse en un kárdex tradicional de preparatoria o ser presentados en un portafolio electrónico. (Las Águilas tienen descripciones detalladas de cada insignia en el Rastreador de Puntos Electrónico.)

HABILIDADES FUNDAMENTALES

Las insignias de matemáticas de Khan Academy en pre-álgebra, álgebra I y II, geometría, trigonometría, pre-cálculo, y cálculo son el cimiento de las matemáticas de Acton Academy.

Las insignias de Libros Profundos demuestran que un Águila ha devorado un libro que "cambia el mundo" o "cambia la vida" y ha hecho una presentación diseñada para convencer a otros a leerlo.

Las insignias de Género y Tres Borradores de un Género celebran un logro significativo en escritura, vídeo, y otra forma de comunicación; una insignia de Tres Borradores de un Género (Revisión) incluye al menos tres borradores y las críticas asociadas.

Las insignias de Civilización dan a las Águilas con las herramientas, preguntas difíciles, y lecciones que surgen del estudio de la vida de los héroes, historia, geografía, economía, y filosofía, mientras los expone a la memoria colectiva de la raza humana.

INDAGACIONES, CREACIÓN DE INDAGACIONES Y PRÁCTICAS

Insignias de Indagaciones y Creación de Indagaciones: Una indagación (quest) es una serie de retos de cinco a siete semanas de duración conectados por una narrativa y que llevan a una exhibición pública del trabajo completado; éstas están diseñadas para desarrollar habilidades del siglo veintiuno en ciencia y otros temas relacionados. La creación de indagaciones es el proceso de aprendizaje profundo que un Águila en la Plataforma de Lanzamiento lleva a cabo no sólo para dominar un tema sino para crear una Indagación para otros estudiantes.

Las Insignias de Prácticas celebran prácticas en el mundo real que ayudan a las Águilas a descubrir el "próximo paso en su aventura" y los prepara para su llamado en la vida.

INSIGNIAS DE APRENDIZAJE

Las Insignias de Aprendizaje significan que se han adquirido algunos privilegios de liderazgo al convertirse en un Aprendiz Independiente hasta llegar a Líder Nivel Cinco.

Asegurando la Calidad

Las Águilas establecen y revisan la calidad de los estándares del trabajo hecho para obtener las insignias. En la mayoría de los casos, la insignia debe ser aprobada por un Compañero de Camino o un comité, utilizando uno o más de los siguientes estándares de excelencia

Mejor Trabajo—Si esta es la primera vez que alguien intenta una tarea, la persona debe certificar que fue su mejor trabajo.

Mejor que la Última Vez—Si esta es una tarea o habilidad que se ha intentado antes, ¿hay evidencia de mejora?

Comparación con Estándares de Clase Mundial—¿hay una crítica detallada que compare el trabajo de manera favorable con un ejemplo de clase mundial?

Ganador del Concurso—¿Las Águilas seleccionaron el trabajo como uno de los mejores en un voto en el estudio?

Alto Nivel de Excelencia—¿El trabajo fue aprobado para ser exhibido en público?

En algunas ocasiones, se pide aun comité de auditoría que revise la retroalimentación ofrecida por los Compañeros de Camino o los comités. Si hay evidencia de un deterioro serio en la calidad o un acto intencional de deshonestidad, tanto el Águila involucrada como aquellos que previamente aprobaron el trabajo perderán una insignia, y puede que se presente el caso de violación al código de honor ante el Consejo.

En todos los sistemas es posible hacer trampa. La trampa es común en las escuelas tradicionales e incluso en las mejores universidades. Las Águilas seguramente cometerán errores, pero en nuestro sistema los líderes entienden que cualquier disminución en la calidad en el sistema de insignias pondrá en duda todo su trabajo, por lo que esperamos se ejerza la ética en la comunidad, siempre y cuando los padres respeten el resultado.

Apéndice H

LISTA *de* PROGRAMAS DE APRENDIZAJE EN LÍNEA

Acton Academy ha utilizado los siguientes programas en línea:

MATEMÁTICAS

Khan Academy

DreamBox

ST Math

ALEKS

Mangahigh

LECTURA

ClickN READ

Lexia

ReadTheory

Newsela

GRAMÁTICA/ORTOGRAFÍA/ESCRITURA

Typing Club

VocabularySpellingCity

ClickN SPELL

NoRedInk

Grammarly

Storybird

PaperRater

LENGUAS EXTRANJERAS

Rosetta Stone

Mango Languages

Duolingo

OTROS

ChessKid

Codecademy

Algodoo and CK-12

GitHub and Code.org

Robo Rush

Cha-Ching

3D GameLab

Gamestar Mechanic

Tinkercad

VÍA COURSERA

"Internet History, Technology, and Security"—Universidad de Michigan

"An Introduction to American Law"—Universidad de Pennsylvania

"Introduction to Chemistry: Reactions and Ratios"—Universidad Duke

SOBRE *la* AUTORA

Laura Anderson Sandefer vive en Austin, Texas, con sus hijos, su esposo, y tres perros. Se llama a si misma la Animadora en Jefe de la afiliación de escuelas independientes Acton Academy. Le encantaría escuchar de ustedes si están interesados en establecer una Feria Acton de Negocios de los Niños o una Acton Academy en su comunidad. Siéntanse libres de contactarla en lsandefer@actonmail.org.

Made in the USA
Columbia, SC
20 September 2021